L'avant-scène théâtre

BIMENSUEL - 15 SEPTEMBRE 2002 - N° 1120 - 10 EUROS

Sarah

de John Murrell
Adaptation française d'Éric-Emmanuel Schmitt
Mise en scène de Bernard Murat

ÉTÉ 1922... Sarah Bernhardt tente de dicter ses mémoires à son secrétaire Georges Pitou. Pour l'aider à se souvenir de cette vie d'aventure, d'audace et de fantaisie, il accepte de jouer les personnages qu'elle veut retrouver.

Ainsi, sa mère, sa sœur, son amant, son mari, son fils, son imprésario américain, un machiniste, Oscar Wilde et George Bernard Shaw répondent tour à tour à une Sarah Bernhardt défiant sa propre mort entre vie et théâtre.

D0272011

L'avant-scène théâtre

6, rue Gît-le-Cœur
75006 PARIS
Tél. : 01 46 34 28 20
Fax : 01 43 54 50 14
ASTHEATRE@aol.com
Rédaction : 01 53 63 88 73

DIRECTEUR DE LA PUBLICATION : Philippe Tesson
COMITÉ ÉDITORIAL : Gilles Costaz, Danielle Dumas,
     Armelle Héliot, Jérôme Hullot,
     Jacques Nerson, Emmanuelle Polle,
     Stéphanie Tesson, Philippe Tesson
CONSEILLER DE LA DIRECTION : Jérôme Hullot
RÉDACTRICE EN CHEF : Danielle Dumas
RÉDACTRICE EN CHEF ADJOINTE : Claire Cornubert
MAQUETTE : Pierre Kandel
CHRONIQUEUR : André Camp
ASSISTANTE DE DIRECTION : Alexandra Bernard

ABONNEMENTS ET COMPTABILITÉ : Nathalie Boyer

RESPONSABLE COMMERCIAL : Olivier Duguet
(oduguet.ast@laposte.net)

VENTES : Marie-Thérèse Xynos
(mtxynos.ast@laposte.net)
(tél. : 01 46 34 28 20)

Nos correspondants à l'étranger :
CANADA
     Léo Bonneville / L'avant-scène
     7400, boulevard Saint-Laurent
     Montréal (Québec), Canada H2R 2Y1
SUISSE
     Roger Maire
     2416 Les Brenets (NE).
     Tél./fax : 032/932 11 77

Cet ouvrage a été réalisé grâce
au concours de la SACD.

SACD
Société des
auteurs et
compositeurs
dramatiques
PARIS/BRUXELLES/MONTRÉAL

Photo de couverture : © Laurencine Lot
Dessin page 2 de couverture :
© Catherine Dubreuil
Impression : Edipro - Levallois-Perret
Commission paritaire 58693
ISSN 0045 1169 - ISBN 2-900130- 29-8
Dépôt légal : septembre 2002

Le paradoxe du spectateur

HUGO LA NOMMAIT « la Voix d'or » et Oscar Wilde l'appelait « la Divine ». Elle fascinait son public, et ses extravagances l'avaient rendue unique. Mais imaginons-nous une grande comédienne, qui ne vive pas dans le paroxysme ? Elle gouvernait autour d'elle. Elle manipulait les émotions des autres. Mais que cherchons-nous dans l'acteur ? Qu'il dise à notre place les mots que nous ne pouvons prononcer, qu'il fasse pour nous les gestes que nous n'osons pas faire. C'est en le regardant, en l'écoutant que notre conscience s'épanouit, que le monde nous devient plus sensible.

Enfant, nous n'hésitions pas à passer du réel à la fiction : « je serais la maman, tu serais la petite fille ». Le jeu prenait place entre rêve et parole. Les psychologues disent qu'il nous aide à comprendre le monde. Plus tard, quand c'est « pour de vrai », nous inventons la narration. Mais rien ne remplace le théâtre, où les comédiens nous ont donné rendez-vous. Nous devenons leurs complices. Nous participons à la magie, mieux, nous la provoquons. Nous avons du talent autant que sur la scène. L'exaltation qu'ils transmettent nous nourrit. Et l'émotion que nous leur renvoyons les abreuve.

John Murrell avec *Sarah* explore la vie de Sarah Bernhardt, et d'abord ses rapports avec celle d'où vient toute chose, la mère. Il lui fait dire : « j'ai rêvé de l'impossible puisque toi, tu ne rêvais de rien pour moi ». Nous pouvons donc rêver avec elle…

Odieuse et adorable, la Sarah de 1922 sait « que demain est une illusion », qu'elle va « mourir bientôt ». Elle rejoue sa vie pour mieux comprendre ce qu'elle fait « sur cette planète ». Pour qui ? Pour un Pitou ensorcelé, pour un public qu'elle envoûte. Pour elle-même, pour chacun de nous.

Éric-Emmanuel Schmitt qui connaît si bien Diderot et *Le Paradoxe sur le Comédien* sait quels plaisirs la représentation suscite, et quel paradoxe génère le spectateur. Sa nouvelle adaptation attise un texte qui déjà enchantait le public de 1982. Quant à Fanny Ardant et Robert Hirsch, ils soufflent la passion.

Danielle DUMAS

Le Théâtre Édouard VII
Bernard Murat et Jean-Louis Livi

présentent

Sarah

d'après *Memoir* de John Murrell
adaptation française d'Éric-Emmanuel Schmitt

Mise en scène de Bernard Murat

Avec

Fanny Ardant	Sarah Bernhardt
Robert Hirsch	Georges Pitou

Décor	Nicolas Sire
Costumes	Bernadette Villard
Lumières	Laurent Castaingt
Musique originale	Benjamin Murat
Assistante à la mise en scène	Dorota Cohen

Création le 3 septembre 2002

Les photographies de la pièce sont de Laurencine Lot,
à l'exception de celle de la page 12 qui est de Brigitte Enguérand.

Sarah : Jouez donc ma mère, ma mère qui grogne, qui geint, qui pleurniche.
Pitou : Je ne suis pas comédien.

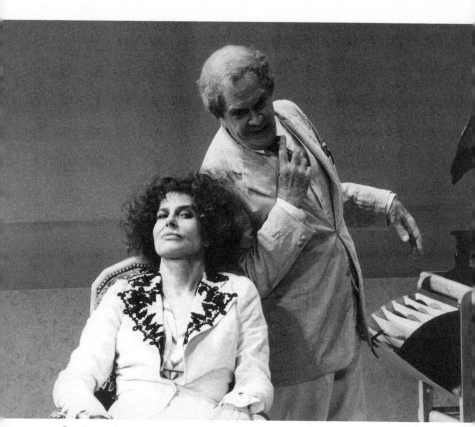

Première partie.
Sarah (Fanny Ardant) et Pitou (Robert Hirsch).
Pitou/Judith : À ton âge, il est temps que tu renonces au théâtre pour chercher un emploi honnête.

Page de droite.
Pitou/Judith : L'aristocratie est facilement partante
pour une partie de jambes en l'air dans les coulisses.

SARAH : Je vous aime beaucoup, Pitou.
PITOU : Merci, Madame. Je sais.
SARAH : Vraiment beaucoup.

Pitou : Je ne sais plus où j'ai la tête, le climat de cette île est mauvais pour mes reins.
Sarah : Les prêtres de Ceylan ne sont pas responsables de vos reins.

Pɪᴛᴏᴜ/Jᴀʀʀᴇᴛᴛ : Je ne parle pas d'amour, Miss Bernhardt, je parle business. Argent ! Dollars !
La seule raison pour un Européen de venir dans ce trou perdu !

Sarah : Mon Dieu, qu'est-ce que c'est, Pitou ? Le soleil qui explose et qui meurt, déjà ?

Deuxième partie.
SARAH : Est-ce que j'ai été absente longtemps ?
PITOU : Oui. Non. Je ne sais pas. Mon Dieu, comment ai-je pu vous laisser seule ?
Et comment vais-je expliquer ça à monsieur Maurice ? Je suis responsable de vous.

Page de droite :
PITOU/OSCAR : My dear Sarah ! Sarah la Divine !
Vous êtes la dernière personne sur terre
que je m'attendais à rencontrer.

Pitou : Vous connaissez les poètes, Madame, particulièrement les poètes débutants. Je doute fort qu'il accepte, même pour vous, de vieillir son héroïne.

PERSONNAGES

SARAH BERNHARDT
GEORGES PITOU : secrétaire de Sarah Bernhardt

Première partie

La terrasse du manoir Penhoët à Belle-Île-en-Mer. Surplombant l'océan, elle est pavée de dalles, entourée de pins et de tamaris. Quelques fauteuils et bancs de jardin drapés de couvertures et de fourrures la meublent. Une table roulante porte un assortiment d'alcools.

Allongée sur une chaise longue en rotin, calée dans ses cousins, Sarah Bernhardt, soixante-dix-sept ans, somnole au soleil. Sept ans auparavant, sa jambe droite a été coupée au-dessus du genou. Équipée d'une prothèse, elle peut se déplacer avec prudence mais sans difficulté.

Sortant de la maison, Georges Pitou entre sur la terrasse et aperçoit Sarah. Chauve, mal fagoté, avec cet air gris et las des gens qui ne font rien mais qui s'épuisent à tout, le secrétaire s'approche du fauteuil à pas feutrés. Il constate la position peu confortable dans laquelle se trouve sa patronne. Il lui effleure le bras avec timidité. Elle ne bouge pas. Il se penche et, avec douceur, il saisit adroitement sa jambe artificielle pour l'installer sur un repose-pied. Bruit mécanique de prothèse. Il lève la tête, elle a les yeux ouverts. Il se redresse, gêné. Étrange réflexe : il ajuste ses vêtements pour retrouver une contenance.

Pitou : Qui vous a sortie ? Mmm ? Qui vous a laissé ici, dans cette fournaise ? C'est le nouveau, Henri ?

Sarah : Le soleil cogne, Pitou, comme un boxeur. Regardez, c'est superbe : K.O. général, plus un brin d'air, la plage a le souffle coupé, la mer est au tapis, sonnée. Apportez-moi mon ombrelle.

PITOU : Tout de suite, Madame. *(Il va pour obéir puis s'arrête.)* Ne croyez-vous pas qu'il vaudrait mieux rentrer ? Le docteur Marot l'a répété : « une femme dans votre état… »

SARAH : Mon état ? Quel état ? Je n'ai pas d'état. Mon ombrelle !

PITOU : Tout de suite.

Il disparaît dans la maison. Sarah se redresse, arrange sa robe et écarte les cheveux de ses yeux. Une douleur passagère la fait grimacer. Elle se maîtrise. Elle regarde le soleil.

SARAH : Oui, je sais. Je sais. Je dois aller jusqu'au bout. Finir. Achever. Accomplir. Mais par cette chaleur… *(Au soleil :)* De toute façon, toi aussi, tu es condamné, toi aussi la boule, tu roules ; toi aussi, tu te consumes, tu te brûles. Tu ne seras pas facile à remplacer, toi non plus. *(Pitou revient en apportant à Sarah son canevas à broder.)* Qu'est-ce que c'est ?

PITOU : Votre ouvrage, Madame.

SARAH : Ce n'est pas ce que je vous ai demandé.

Elle le rejette.

PITOU : Non ? En êtes-vous certaine ?

SARAH : Ombrelle ! Mon ombrelle ! Je craque et je me dessèche, Pitou, comme un vieux lézard.

PITOU : J'en étais sûr : vous avez de la fièvre !

SARAH : Ridicule. Le soleil…

PITOU : Qui vous a sortie ? Hein, qui ? Qui veut vous rendre malade ? Le docteur Marot a pourtant dit que…

SARAH : Je n'ai pas de fièvre, je veux travailler.

PITOU : *(imperturbable)*… que, dans votre état, la plus légère fièvre, oui, même la plus légère, pouvait être le grave symptôme de… quelque chose. *(Se remémorant exactement.)* De quelque chose d'autre. Voilà ce qu'il a dit.

SARAH : Pitou…

PITOU : Plus tard, c'est moi que vous blâmerez. « Pitou, vous m'avez laissée cuire des heures au soleil ! Sans vous, je serais rentrée. » Je vous connais, c'est moi que vous accuserez jusqu'à ce que… *(Avec un sanglot.)* Enfin, si vous le pouvez encore…

SARAH : Pitou, mon ombrelle !

PITOU : Tout de suite.

Il retourne à l'intérieur.

SARAH : Et le phonographe aussi. Un peu de musique pourrait me ramener à la vie.

PITOU : Le phonographe ? Ici ? Dehors ?

SARAH : Pourquoi pas ?

PITOU : L'air marin, Madame ! C'est très nocif, le bon air. Le sel attaque vos petites roues, vos petits cylindres, vos petits ressorts, vos petites dents.

SARAH : Mes petites dents ?

PITOU : Et la musique, Madame, représente un danger avant la digestion. Il est bien connu dans le monde médical qu'un excès de sons irrite le tube digestif. Ne va-t-on pas au concert sans avoir dîné ? Ma mère me disait toujours : « Georges, l'oreille et l'estomac sont des organes qui se contrarient. Tu ne dois jamais… »

SARAH : *(tonnant)* Le phonographe !

PITOU : Tout de suite, Madame.

Il entre dans la maison. Sarah regarde le soleil.

SARAH : J'ai promis à ce pauvre diable de lui offrir une perruque convenable s'il réussissait à passer une journée sans me torturer avec les conseils médicaux du docteur Marot ou de sa mère mais je sais qu'il mourra aussi chauve qu'un œuf. *(Pause.)* Zut ! J'aurais dû lui demander d'apporter les notes. *(Au soleil :)* Oui, oui, je vais travailler. Quand même. Rien que pour étonner Maurice qui croit que son vieux débris de mère passe ses journées ici, allongée à ne rien faire, comme un vieux lézard aplati par les coups du soleil. *(Elle sourit.)* Pas mauvais ça. Notez-le, Pitou. Pitou ? Où est-il ?

Pitou revient, un petit phonographe abîmé sous un bras et un coffret de disques sous l'autre.

PITOU : Où dois-je poser le phono…

SARAH : Chut. Notez vite. « Aux yeux du monde, je ne suis plus qu'un vieux lézard… »

PITOU : Ici ?

SARAH : Vous me suivez ?

PITOU : Ou bien ici ?

SARAH : « … qu'un vieux lézard aplati par les coups de soleil. » Pitou, vous n'écrivez pas !

PITOU : Non, Madame.

SARAH : Pourquoi ?

Pitou : Je n'ai pas… je ne peux pas… je ne sais pas ce que nous sommes en train de faire, Madame. J'ai de plus en plus de mal à vous suivre.

Sarah : Et où est mon ombrelle ?

Pitou : Votre quoi ?

Sarah : J'ai très clairement demandé mon ombrelle.

Pitou : Vous avez très clairement demandé votre phonographe.

Sarah : Et mon ombrelle.

Pitou : *(de mauvaise foi)* Non !

Sarah : Si !

Pitou : En êtes-vous certaine ?

Sarah : Oui.

Pitou : Ça aurait pu m'échapper ?

Sarah : Il faut le croire.

Pitou : *(souriant)* Cette chaleur nous joue des tours. La meilleure chose pour nous deux serait d'entrer à l'intérieur et de…

Sarah : On se tait, Pitou ! Plus un mot, plus un geste ! *(Elle saisit un morceau de papier et y inscrit quelques lettres à toute vitesse. Pitou s'approche et regarde par-dessus son épaule.)* Voilà. J'ai écrit. O.M.B.R.

Pitou : Je sais lire, Madame.

Sarah : Et deviner la suite ?

Pitou : Vous me vexez.

Sarah : Alors, allez ! *(Elle lui met le papier dans la main. Lorsqu'il est sur le pas de la véranda, elle l'arrête.)* Apportez les notes, aussi.

Pitou : Les notes ?

Sarah : Le classeur bleu avec les giroflées. Vous savez où il est ?

Pitou : Le classeur ? Ici ?

Sarah : Oui. Mon ombrelle et le classeur bleu avec les giroflées.

Pitou : Nous allons travailler à vos *Mémoires* ici, à l'extérieur !

Sarah : Pourquoi pas ?

Pitou : Alors, nous n'avons plus besoin du phonographe.

Il va pour le reprendre.

Sarah : Laissez le phonographe où il est, Pitou et allez-vous en !

Il commence à sortir.

Sarah : Pitou ?

Pitou : Madame ?

Sarah : Où allez-vous ?

Pitou : Dans ma chambre, Madame.

Sarah : Pourquoi ?

Pitou : Vous m'avez très clairement demandé de m'en aller.

Sarah : Et de rapporter quelque chose, n'est-ce pas ?

Pitou : … Oui.

Sarah : Quoi ?

Pitou : *(cherchant puis trouvant)…* Le classeur bleu, celui avec des giroflées, dans lequel se trouvent nos notes pour le deuxième volume de vos *Mémoires*.

Sarah : Et puis ?

Pitou : Et puis ?

Sarah : Oui.

Pitou : Le classeur bleu avec les giroflées.

Il la regarde sans comprendre.

Sarah : Qu'est-ce que vous avez dans la main, Pitou ? Dans la main gauche !

Pitou : *(remarque le papier, le déplie, le lit puis se retourne vers elle en soupirant)* D'accord. Comme vous voulez. *(Il se retourne et rentre dans la maison où sa voix devient de moins en moins audible.)* Seulement je n'arrive pas à comprendre comment vous pouvez espérer qu'une simple ombrelle puisse vous soulager d'un cas d'indigestion nerveuse doublée par ce qui a débuté comme une fièvre de rien du tout mais qui est en train de s'aggraver nettement…

Sarah le regarde partir. Elle fait une toute petite grimace et appuie sa main sur son côté droit inférieur. Elle se tourne vers le soleil et le regarde.

Sarah : Un peu de musique. *(Elle se lève avec précaution et va vers le phonographe.)* Une mélodie de Mozart… ou de Messager… pour piquer la mémoire, la réveiller. *(Elle feuillette le livre de disques.)*. Caruso… Scotti… Nellie Melba ? Non, elle chante comme une Australienne : les notes mais pas la musique. Caruso encore ? Alma Glück ? Rayée. Géraldine Farrar ? Sûrement pas ! Ah ! Mary Garden ! Oui, Mademoiselle Garden. Vous, vous chantez avec votre âme. Non, avec votre ventre, ce qui est encore mieux. *(Elle met le disque. Musique : Mary Garden chante « L'Amour est une vertu rare », un air extrait de* Thaïs *composé par Massenet.)* Oui, Mademoiselle Garden, de la douceur d'abord. Puis de la colère. Mettez-vous en colère.

Elle sait, mademoiselle Garden, que ses jours, ses heures, sont comptés. Chaque seconde a de l'importance. Chaque seconde doit permettre d'accomplir quelque chose. Chaque seconde consume le peu de lumière et de feu précieux qui lui reste.

Elle ferme ses yeux et se balance doucement au rythme de la musique. Elle sourit. Pitou revient, encombré d'un grand classeur débordant de fiches et de notes.

Pitou : Madame ?

Sarah : Chut.

Pitou : *(fort)* Vos notes, Madame.

Sarah : Doucement. La musique. Le soleil.

Pitou : *(encore plus fort)* Je vous apporte vos notes !

Sarah : *(hurlant)* Silence !

Elle recommence à se balancer.

Pitou : Je croyais que vous aviez l'intention de travailler à vos *Mémoires*.

Sarah : C'est ce que je fais, Pitou. Je suis en train de me souvenir. Ma mère vient d'entrer sur la scène de ma mémoire.

Pitou : Votre mère ? Un instant, Madame.

Il s'assoit et fouille dans le classeur bleu en marmonnant « Mère » entre ses dents.

Sarah : Judith van Haard, ma mère, était fille d'un Juif hollandais qui fabriquait des meubles de rotin. Mais elle ne tenait pas à rester dans la paille, l'ambition lui donnait des ailes pour franchir toutes les frontières : à vingt ans, elle était déjà devenue une femme française, catholique et entretenue. Très bien entretenue.

Pitou : Vous avez déjà mis cela dans votre premier volume.

Sarah : Elle avait la beauté, les bonnes manières et le don de rendre les hommes heureux. Je n'ai hérité d'aucune de ses qualités. Je pense que ça lui a brisé le cœur. Dans l'hypothèse où elle en aurait eu un.

Pitou : Ah, j'y suis ! Voici mes fiches. *(Il brandit fièrement une liasse.)* « Mère ».

Sarah : Aux yeux du monde, ma mère…

Pitou : *(s'expliquant)* « Mère » était à la lettre *P*, à cause de « Parent ».

Sarah : … ma mère était un bouquet de violettes…

Pitou : « Père », j'aurais retrouvé plus vite car c'est la même lettre que « Parent ».

Sarah : … un bouquet délicat de violettes hollandaises…

Pitou : En revanche, « Mère », c'était moins évident.

Sarah : … des violettes hollandaises coûteuses à cause des frais d'importation…

Pitou : D'autant que j'avais ouvert un dossier « Amour maternel » mais qu'il est resté vide.

Sarah : … des violettes qui ont si souvent changé de mains qu'elles ont perdu leur fraîcheur…

Pitou : Enfin, je ne perds jamais rien et « Mère » était à sa place dans les *P*.

Sarah : … mais qui, à chaque passage de main, retrouvent leur parfum.

Pitou : « Mère », sous-titré « Maman » et « Maternité », au cas où, on ne sait jamais.

Sarah : Pitou ! Avez-vous noté tout cela ?

Pitou : Naturellement, Madame.

Il saisit un papier, un crayon et griffonne en virtuose.

Sarah : Ma mère était un bouquet de violettes séchées importées de Hollande. Leur parfum s'amplifie lorsqu'on les écrase un peu.

Pitou : Moins vite, Madame.

Sarah : Mais sous le papier de soie, les violettes avaient des épines d'acier.

Pitou : Les violettes n'ont pas d'épines, Madame.

Sarah : On voit que vous n'avez pas connu ma mère. Le disque s'est arrêté.

Pitou : Dieu merci.

Sarah : Remettez-le.

Pitou : Mais Madame…

Sarah : Remettez-le.

Pitou : Vous et mademoiselle Garden en même temps ? N'est-ce pas un peu trop…

Sarah : Trop ?

Pitou : *(prudent)* Trop. Je ne suis pas un surhomme.

Sarah : Remettez-le.

Pitou : En tout cas, nous n'en étions plus là la dernière fois. Nous étions arrivés aux tournées en Amérique du Sud. Nous en avions fini avec votre mère.

Sarah : Je n'en ai jamais fini avec ma mère. Musique !

Pitou remet le disque en marche. Sarah regarde le soleil et fait une petite grimace. Pitou se rassoit et lui souffle.

Pitou : Violettes…

Sarah : Non.

Pitou : Papier de soie.

SARAH : Non.

PITOU : Épines de violettes.

SARAH : *(avec violence)* Ça ne marchera pas !

PITOU : *(bafouillant précipitamment)* Peut-être votre mère voulait-elle, comme toutes les Hollandaises, revenir au pays pour cultiver les fleurs et inventer une nouvelle race ? Ma propre mère avait la main verte et coupait les bulbes en deux afin de…

SARAH : *(péremptoire)* Assez !

Elle arrache le disque et le brise en plusieurs morceaux. Ensuite, elle toise Pitou comme si c'était lui, le coupable. Un temps. Elle attend quelque chose de lui qu'il fait exprès de ne pas comprendre.

PITOU : Pauvre mademoiselle Garden.

SARAH : Elle chante faux.

PITOU : C'est vrai mais avec son ventre…

SARAH : Son bas-ventre.

PITOU : C'est vrai mais ce n'est pas une raison pour…

SARAH : Oubliez mademoiselle Garden.

PITOU : En plus, il va falloir que j'achète une nouvelle aiguille…

SARAH : Oubliez l'aiguille. Il faut que je travaille, Pitou, mais cet après-midi, même le satané soleil n'a pas mis mon cerveau en ébullition.

PITOU : *(fuyant)* Je vais appeler le docteur Marot.

SARAH : Non. Il n'y a qu'un seul remède et vous le connaissez, Pitou. Vous seul pouvez me le donner.

PITOU : *(affolé)* En dix minutes, le docteur Marot sera…

SARAH : Les docteurs ne savent soigner que les gens ordinaires, Pitou, ils font de la médecine de vétérinaire. Tandis que vous, vous me connaissez et vous pouvez me guérir. Aidez-moi.

PITOU : Je vais vous aider à rentrer, oui.

SARAH : Regardez-moi. Vous savez. Vous savez ce qui doit être fait.

PITOU : Madame, je ne peux pas. Rentrons, je vous en supplie.

SARAH : Ça m'a toujours aidé.

PITOU : Allons à l'ombre, rafraîchissons-nous, détendons-nous et demain matin, sans effort, nous pourrons recommencer.

SARAH : Demain est une illusion temporelle, Pitou. Le soleil n'est qu'une braise. Tout va disparaître. Il ne reste que cet après-midi.

Pitou : Je ne peux pas.

Sarah : Tu m'abandonnes ! Tu te fiches de mes *Mémoires* !

Pitou : *(vexé)* Quoi ? C'est une idée à moi, vos *Mémoires*. Et c'est aussi une idée à moi d'écrire ce deuxième volume. Pour éclairer le monde civilisé. Et l'Amérique éventuellement.

Sarah : Alors venez, aidez-moi. Vous avez été engagé pour m'aider. Ça me réussit toujours.

Pitou : *(résistant ultimement)* Je vous rappelle qu'il n'y a absolument rien dans mon contrat qui m'oblige à accepter ces jeux pervers.

Sarah : Venez. Vous l'avez déjà fait.

Pitou : Justement, je n'aurais jamais dû accepter. Je le regrette tous les jours. D'une exception, vous voulez faire une habitude…

Sarah : Venez. Maurice et le monde civilisé seront étonnés d'apprendre que le vieux lézard a dansé jusqu'au bout. Venez. Jouez donc ma mère, ma mère qui grogne, qui geint, qui pleurniche.

Pitou : Je ne suis pas comédien.

Sarah : Pitou, vous allez le faire et tout me reviendra. *(Un temps.)* Vous allez le faire. *(Un temps.)* Vous le faites. Vous êtes ma mère.

Pitou : Bien. À quelle époque sommes-nous ?

Sarah : J'ai vingt-sept ans.

Pitou va pour protester puis se reprend.

Pitou : Si vous voulez.

Sarah : J'ai vingt-sept ans, je vis à Paris, rive gauche, avec mon amant le prince de Lignes. Dans le berceau, dort un joli bébé, Maurice, notre petit Maurice. *(Brusquement.)* À propos, où est-il celui-là ?

Pitou : À la plage. Il a emmené votre petite-fille et le docteur Marot pêcher des crevettes.

Sarah : Parfait. Ils nous ficheront la paix. Silence ! *(Pitou ne bouge pas d'un cil.)* J'ai vingt-sept ans et je suis presque heureuse. Ma mère vient me rendre visite. Elle est toujours jolie, cruellement jolie. *(Elle se retourne et affronte Pitou)* Comment je vais ? Mais vous ne voulez pas de réponse à cette question, Maman. Vous êtes venue pour me gronder, vous plaindre et me jouer votre habituelle comédie de la mère malheureuse. *(Pitou commence à parler. Sarah l'interrompt.)* Oui je sais, Maman, je suis une terrible déception pour vous. Vous, vous êtes une des femmes les plus séduisantes et les plus brillantes de Paris, c'est-à-dire du monde, vous êtes devenue riche, et presque respectable à force de mettre des ministres dans votre lit. Enfin, un à la fois. Généralement.

Pitou : Madame…

Sarah : Mademoiselle, s'il vous plaît, Maman. Je ne suis pas plus mariée que vous.

Pitou : Madame, je vous jure que je ne peux pas.

Sarah : Vous pouvez, Pitou, vous pouvez tout. Vous êtes plus doué que vous ne le pensez. Et ce n'est qu'un jeu. Un jeu pour rafraîchir ma mémoire qui flanche sous le soleil implacable… sans mon ombrelle.

Pitou : Votre ombrelle, Madame ? Mais voyons, il suffisait de me le demander. *Il s'apprête à sortir.*

Sarah : *(avec une voix d'amoureuse)* Pitou ! Georges ! *(Il s'arrête. Langoureuse.)* Georges, ne me rends pas la tâche trop difficile.

Un temps. Pitou est ému. Il cède.

Pitou : Par quoi commence-t-on ?

Sarah : Commencez. C'est toujours Maman qui commençait.

Pitou : Oui mais… *(Il se mord les lèvres et se tord les mains.)* Que suis-je censé…

Sarah : S'il vous plaît, ne pleurnichez pas. Vous êtes Judith Bernhardt, une des femmes les plus…

Pitou : *(au bord des larmes)* séduisantes…

Sarah : … et des plus…

Pitou : … brillantes…

Sarah : … de Paris, c'est-à-dire ?…

Pitou : *(désespéré)* … du monde !

Sarah : Exactement !

Pitou lui tourne le dos, tentant de se concentrer sur son personnage. Il saisit un éventail pour s'aider puis se retourne brusquement pour s'adresser à elle.

Pitou/Judith : Eh bien, Sarah.

Sarah : Oui, Maman ?

Pitou/Judith : Ne m'appelle pas Maman. Tu as vingt-sept ans.

Sarah : Vingt-six.

Pitou/Judith : Vingt-six ? Vous êtes sûre ?

Sarah : Certaine. Continuez.

PITOU/JUDITH : Sarah, tu dois avoir maintenant vingt-six ans…

SARAH : Vingt-cinq. *(Se ressaisissant.)* Excusez-moi, Maman, l'habitude.

PITOU/JUDITH : À ton âge, il est temps que tu renonces au théâtre pour chercher un emploi honnête.

SARAH : Parfait, Pitou. Ma vie ne regarde que moi, mère, c'est même tout ce que je possède.

PITOU/JUDITH : Je te la laisse bien volontiers. Mais que va devenir… que va devenir…

SARAH : *(soufflant)* Mon bébé.

PITOU/JUDITH : Oui, ce bébé, là, dans ce berceau, que va-t-il devenir ?

SARAH : Maman, le prince de Lignes m'adore.

PITOU/JUDITH : Oui, mais ce noceur, ce Belge, ce « dandy belge » aimera-t-il un petit bâtard ?

SARAH : Mère, je vous dis qu'il m'aime.

PITOU/JUDITH : Taratata ! Il l'a reconnu, mais il ne l'a pas adopté. L'aristocratie est facilement partante pour une partie de jambes en l'air dans les coulisses. Ça, pour la roucoulade, tu trouveras toujours le ténor ; mais pour la romance, c'est une autre chanson ! Ton prince changera d'avis dès qu'il rentrera dans sa famille. Il effacera les traces de ton maquillage sur son plastron. Il enlèvera la tache de ton fils de son blason.

SARAH : Bravo, Pitou ! Et maintenant : « J'ai sacrifié ma jeunesse, j'ai ruiné ma santé… »

PITOU/JUDITH : Je sais, je sais. Ne me bousculez pas. J'ai sacrifié ma jeunesse, j'ai ruiné ma santé, je me suis retournée les poches et saignée aux quatre veines pour offrir à mes deux filles une vie décente.

SARAH : Pour une fois, soyez honnête, Maman, et dites que vous avez tout donné pour Jeanne. Jamais pour moi. Pour que ma sœur Jeanne ait une vie décente.

PITOU/JUDITH : Et pourquoi pas ? Jeanne ne m'a jamais injuriée, elle ; elle ne m'a jamais tenu tête, elle. Le pauvre bébé a toujours eu besoin de plus de soins, elle était si fragile. Toi, tu as toujours eu la force, trop de force. Jeanne n'a pas ton tempérament, Dieu merci d'ailleurs, ni ton égoïsme obscène.

SARAH : *(riant)* Allons, Pitou, tu ne vas pas me dire que tu n'y prends pas plaisir !

PITOU : Madame, si vous m'interrompez tout le temps, comment voulez-vous que je continue cette singerie ?

SARAH : *(luttant contre le rire)* Je suis désolée, Pitou, désolée… Continuez, Maman, continuez s'il vous plaît.

PITOU/JUDITH : (*improvisant en disant n'importe quoi*) Toi, Sarah, tu es l'autel d'épines sur lequel mon cœur a saigné la première fois, et sur lequel il saigne toujours. La Sainte Vierge aurait été encore plus malheureuse si elle avait eu une fille. Surtout une fille aînée ! Si seulement tu m'avais respectée, si seulement tu m'avais écoutée…

SARAH : Si je vous avais écoutée, mère, nous serions devenues Jeanne et moi deux parfaites répliques de vous-même. Bel assemblage sur une commode : une cocotte en porcelaine avec ses deux petites derrière ? De ravissants objets faits pour le luxe qui attendent d'être tripotés et admirés par un digne propriétaire. Quel destin !

PITOU/JUDITH : Tu oublies que tu parles à ta mère. Et tu pourrais au moins m'offrir un rafraîchissement, par une chaleur pareille.

SARAH : Servez-vous vous-même !

PITOU/JUDITH : Aurais-tu du thé ?

SARAH : *(avec un sourire)* Non. Que de l'alcool.

PITOU/JUDITH : Tant pis. (*Pitou se précipite vers la table roulante et se sert un alcool. Sarah s'amuse de le voir ainsi profiter de la situation.*) Un sherry ?

SARAH : Non merci.

PITOU/JUDITH : *(sirote et s'évente)* Taratata, ma petite Sarah, si Paris s'est quelquefois amusé de tes colères sur scène ou dans ta vie privée, je ne fais pas partie des gens qui rient. Depuis ta naissance, tu t'es montrée absurde, fantasque, capricieuse, toujours à courir après d'irréalisables désirs.

SARAH : Maman.

PITOU/JUDITH : Tu te trompes sur tout. Sur ta vie. Sur tes hommes. J'ai essayé de m'en mêler, de corriger tes erreurs, je suis même parvenue à te présenter des partis convenables, ce qui n'était pas facile…

SARAH : Oui, à quinze ans, vous m'avez jetée dans les bras de monsieur Barentz. Très convenable comme parti : un gros plein de poils. Jamais vu autant de poils sur un homme. Un mammouth en aurait été jaloux. Il en avait jusque sous les ongles.

PITOU/JUDITH : Peut-être. Mais quel compte en banque !…

Sarah : Il fabriquait des tapis. Avec ses poils sûrement.

Pitou/Judith soupire d'exaspération. Il fait quelques pas et se lance dans son grand monologue pathétique.

Pitou/Judith : En général, les médecins conseillent aux femmes dans la force de l'âge d'éviter l'alcool, les sucreries et l'excès de cheval qui pourrait leur briser la colonne vertébrale. Les miens me recommandent simplement d'éviter ma fille aînée.

Sarah : Oui, Maman, chante ton grand air, tu n'es venue que pour cela. *(Soufflant.)* « Sacrifice ».

Pitou/Judith : Sacrifices ! Ai-je reculé devant les sacrifices ? Aucun ! Jamais ! Mais à quoi bon ? Impuissante, je te voyais devenir une créature rebelle, échevelée, à la voix stridente, au profil dur et sémite – ce qui n'est pas de ta faute, je te l'accorde, mais tu pourrais être discrète. As-tu vu à quoi tu ressembles avec ta tignasse et ta maigreur ? Une grosse éponge sur un bâton ! Quelle idée de monter sur scène ? Pourquoi cette passion pour ce qui salit ? Pourquoi choisir le vice ? Et, par contagion, emmener ma pauvre petite Jeanne, mon bébé, mon ange, dans ton sillage empoisonné ? La pauvre petite qui ne pourra pas y résister, elle est si fragile, si tendre…

Sarah : Arrêtez. Arrêtez. Maintenant, c'est bon. *(D'un geste désespéré, elle indique à Pitou le papier et le crayon. Il comprend, abandonne le rôle de Judith et court vers la table pour prendre la dictée. Sarah regarde le soleil.)* Oui, ma sœur est devenue alcoolique. Lorsqu'elle me disait : « Sarah, il y a un manège qui roule derrière mes yeux », je savais qu'une fois de plus, elle était ivre morte. Ma mère m'en a voulu. « Ta sœur n'a jamais bu avant que tu ne la traînes en tournée avec toi, tes folles tournées sans fin, à New York ou dieu sait où ! » Je ne voulais pas l'emmener. Mais elle a tellement pleurniché, tempêté, prétendu que j'avais peur qu'elle m'accompagne parce qu'elle était plus jeune et plus belle, que j'ai cédé. Je lui ai donné quelques répliques, quelques perruques, quelques costumes pour qu'elle puisse se déguiser en actrice. Elle se tenait, paniquée, sans voix, sans expression, contre le décor ; à croire qu'elle était vouée aux rôles de statue. Mais je ne lui ai pas appris à boire. Non. Je lui ai appris à camoufler ses yeux sans sommeil et ses traits gonflés avec de la peinture. Mais je ne lui ai pas appris à boire, Maman. Au contraire, je déteste la faiblesse, chez n'importe qui. Il se peut que j'aie détourné mon regard. Oui. Que je l'aie laissée faire. Oui. Que j'aie même été contente que cela arrive. Oui. Car je la détestais, ma sœur Jeanne, je la détestais depuis le jour de sa naissance. Cependant, c'est toi qui m'as donné cette maladie, Maman, toi qui veillais sur Jeanne comme sur ton or, qui lui massais le visage avec de la crème fraîche, qui lui achetais les plus belles robes, qui choisissais les meilleures vacances pour elle. Elle avait droit à tout. Moi à rien. J'ai lutté bec et ongles pour entrer au Conservatoire, pour y rester. J'ai rêvé de l'impossible puisque toi, tu ne rêvais de rien pour moi. Je me suis hissée toute seule sur les planches tandis que toi, Jeanne, et tes messieurs élégants, vous rougissiez lorsqu'on mentionnait mon nom. Ensuite, vous vous moquiez. J'ai toujours vos rires dans mes oreilles. Vos sarcasmes, je les recevais sur ma peau comme des coups de fouet, mais ils me faisaient avancer. « On peut ressembler à une Juive et être belle », me disais-tu en désignant ma sœur. « Ou on peut ressembler à une Juive et avoir l'air d'une Juive » ajoutais-tu en me regardant. Avec qui l'avais-tu faite, Maman, cette Jeanne, pour qu'elle te ressemble tant ? Même nez, même peau, même bouche. Coulée dans le même moule de porcelaine. Moi, tu ne m'avais donné que tes yeux. Deux yeux. Pas plus. Le reste, il a fallu que je l'invente. Car le public est comme toi, Maman, le terrible public exige la beauté. Alors, devant ma glace, chaque matin, chaque soir, j'ai fabriqué de la femme, je me suis inventée : des lèvres parfaites, des dents alignées, un teint lisse, une poitrine généreuse veinée d'un bleu lumineux. J'ai nourri l'ogre, Maman, je l'ai servi selon son appétit, il a une gueule immense le public, un estomac de pauvre, insatiable. Il veut tout, il lui faut tout, je lui ai tout donné, ma santé, mon cœur, ma vieille chair constamment réinventée. Tout. *(Un temps.)* N'est-ce pas, Maman ? N'est-ce pas, Pitou ?

Pitou cesse d'écrire frénétiquement et lève la tête.

Pitou : Je suis lequel des deux, là ?

Sarah le regarde. Un temps.

Sarah : Pitou.

Pitou fouille dans le classeur et sort une page. Il la lit rapidement.

Pitou : « Pendant plus de cinquante ans, la Bernhardt a donné au public du monde entier les vibrations de son âme, les battements de son cœur, les larmes de ses yeux, interprétant plus de cent vingt-cinq rôles différents. »

SARAH : Qu'est-ce que c'est que ces idioties ? Vous parlez de moi comme d'un monument national.

PITOU : Je ne fais que citer Madame elle-même.

SARAH : Impossible. J'ai parlé de « vibrations », moi ?

PITOU : Mot pour mot. La semaine dernière, 7 août 1922. Je l'ai classé à *P* pour « Paroles définitives ».

SARAH : Bon. Je suis moins sotte que la semaine dernière. Bonne nouvelle. Vous pouvez le classer à la lettre *P* sous la rubrique « Progrès ». *(Un temps. Elle regarde le soleil.)* Bon, où en étions-nous ?

PITOU : Madame, c'est l'heure du dîner.

SARAH : Je n'ai pas faim.

PITOU : Moi si.

SARAH : Continuons. Reprenez votre rôle, Pitou.

PITOU : Pitié !

SARAH : Vous êtes exquis, délicieux, lorsque vous faites ma mère, oui magnifique, à l'exception de cette tache d'encre sur le menton qui ne correspond pas au personnage.

Pitou, vexé, lui tourne le dos en frottant son menton vigoureusement.

SARAH : Voilà, je vous ai blessé. Je suis désolée. Oh Pitou, vous me faites penser à ces petites bêtes que l'on trouve sur la plage à marée basse et qui, selon le docteur Marot, n'ont pas de système nerveux bien qu'elles se tortillent en changeant de couleur dès qu'on les touche. Je vous aime beaucoup, Pitou.

PITOU : *(agacé)* Merci, Madame. Je sais.

SARAH : Vraiment beaucoup.

PITOU : Madame me dit toujours cela quand je n'ai pas envie de l'entendre.

SARAH : Parfait. Alors, recommençons. Qu'est-ce que vous disiez, Maman ? *(Pitou hésite. Elle lui lance un regard d'une autorité sans réplique.)* Oui, Maman ?

Pitou se transforme tout de suite en Judith, saisissant son éventail.

PITOU/JUDITH : Taratata, Sarah, il est temps que tu m'écoutes. Tu as vingt-six ans et…

SARAH : *(frappée par une nouvelle idée)* Non, j'ai onze ans.

PITOU : Onze ?

SARAH : Allons, Pitou, il faut suivre.

PITOU : Mais vous n'avez encore jamais eu onze ans jusqu'ici. Je ne sais pas comment je dois…

SARAH : Ma mère était la même à tous les âges.

PITOU : Je n'arrive pas à croire que vous ayez eu onze ans.

SARAH : J'ai onze ans. Et c'est vous, Maman, qui avez vingt ans.

PITOU : *(réfléchissant)* J'ai été mère très jeune.

SARAH : Nous sommes en face d'un haut mur gris. Au-dessus : des arbres gris. Au-dessus encore : un ciel gris. Dieu ne se fatigue pas toujours pour les décors. Maman me met au couvent, à Grands-Champs. Elle se débarrasse de moi, de mon ingratitude, de mes colères. Elle ne supporte plus que ses amants rient et plaisantent avec moi entre deux portes en me faisant des chatouilles. Elle redoute la concurrence que je lui fais, à moins qu'elle ne la souhaite, et qu'elle ne me retire pour me vendre plus cher un jour. Elle m'abandonne aux bonnes sœurs pour qu'elles me refassent le caractère. « Rendez-la plus docile. » Je pleure. *(Elle recouvre ses yeux d'une main et sanglote comme une enfant.)* Je l'entends toujours à travers mes larmes. Elle explique mon cas désespéré à mère Sainte-Sophie, la supérieure du couvent. Elle geint, elle pleurniche, elle est intarissable. Oui, oui, rien ne m'est épargné. Elle parle. *(Elle se tourne vers Pitou comme une tigresse.)* Elle parle !

PITOU : Elle parle de quoi ? Je n'ai jamais cloîtré ma fille dans un couvent, moi, je ne sais pas quoi dire.

SARAH : D'accord. Vous n'aimez pas ce personnage. Je vous comprends. Nous l'abandonnons. Vous n'êtes plus ma mère.

PITOU : Merci mon Dieu.

SARAH : Vous êtes mère Sainte-Sophie du couvent de Grands-Champs.

PITOU : Non !

SARAH : Si. Mettez ce châle.

PITOU : Non ! *(Sarah lui drape le châle sur la tête et les épaules.)* Ce n'est pas juste.

SARAH : C'est parfait.

PITOU : Pourquoi est-ce que je ne suis jamais un homme ?

SARAH : Au couvent ?

PITOU : Un jardinier. Un facteur.

SARAH : Mère Sainte-Sophie. Divine. Lumineuse. Éthérée. Azuréenne. Elle boite un peu mais d'une façon aérienne.

PITOU : Je ne pourrai pas refaire votre mère ?

SARAH : Trop tard. Elle est déjà partie. Dans son énorme calèche noire. On entend le bruit des roues sur les pavés de la cour. La petite Sarah est seule, sanglotant, apeurée devant cette grande femme grise qui parle d'une voix rauque, le bruit d'une cruche lancée contre un mur de pierre. Vous cherchez à me calmer, à me réconforter. Tout ce qui m'était familier sur terre a disparu en même temps que cette calèche noire. Vous prenez ma petite main qui tremble dans votre grosse main grise et rêche. *(Elle attrape la main de Pitou.)* Vous me parlez…

Pitou se lance à contre-cœur dans le rôle.

PITOU/MÈRE SAINTE-SOPHIE : Mademoiselle Bernhardt, vous avez onze ans.

SARAH : *(lâchant sa main, exaspérée)* Nom de Dieu !

PITOU : Madame ?

SARAH : Pourquoi commencez-vous toujours la conversation en annonçant l'âge de votre interlocuteur ? On ne fait pas ça même dans les plus mauvais théâtres.

PITOU : Je ne suis pas dramaturge.

SARAH : Qu'est-ce que mère Sainte-Sophie dirait dans ces circonstances-là ?

PITOU : Je fréquente peu les bonnes sœurs, Madame.

SARAH : Réfléchissez. Recommencez.

PITOU : Je fais de mon mieux.

SARAH : J'ai onze ans. Ma mère vient de m'abandonner. Je pleure toutes les larmes de mon corps.

Pitou s'approche.

PITOU/MÈRE SAINTE-SOPHIE : Mademoiselle Sarah… vous… vous… vous… vous n'avez pas soif, mon enfant ?

SARAH : *(étonnée)* Soif ?

PITOU/MÈRE SAINTE-SOPHIE : Oui. Venez donc à la margelle de ce puits boire un petit peu d'eau claire…

Il s'approche de la table roulante et se sert un verre d'alcool. Il en tend un à Sarah.

SARAH : Non, ma mère. Je n'ai pas soif. J'ai trop de chagrin. *(Pitou finit son verre. Sarah marque de l'exaspération.)* Consolez-moi, révérende mère.

PITOU/MÈRE SAINTE-SOPHIE : Je n'obéis qu'à Dieu, mon enfant.

SARAH : Pitou ! *(Elle redevient une petite fille.)* J'ai onze ans. Je pleure dans un coin sombre.

Elle sanglote. Pitou s'approche timidement.

PITOU/MÈRE SAINTE-SOPHIE : Mademoiselle Sarah !

SARAH : Quoi ? Qu'est-ce que c'est ?

PITOU/MÈRE SAINTE-SOPHIE : Mademoiselle Sarah, vous… vous… vous… vous… pleurez dans votre petit coin à ce que je vois ?

Sarah se retourne, furieuse, Pitou jette le châle et s'éloigne.

PITOU : D'accord, je suis mauvais. Très mauvais. Je ne peux pas, je ne peux pas. J'abandonne.

SARAH : *(après une pause pénible, se met à crier aussi)* Très bien. J'abandonne aussi. Enlevez-moi ces papiers. Détruisez-les ! Brûlez-les !

Elle saisit des notes par poignées et les éparpille avec rage. Pitou demeure paralysé.

PITOU : Non. Pas ça. Non.

SARAH : À quoi ça sert, ces coupures de presse, ces citations, ces invitations, ces miettes de ma vie ? Ridicule ! Risible !

PITOU : S'il vous plaît, arrêtez !

SARAH : *(continuant)* Arrêter, c'est ce que vous voulez de moi, tous. Que je reste ici, couchée, comme un vieux lézard mutilé et impotent.

Pitou essaie de couvrir la voix de Sarah en tapant de l'éventail sur la table.

PITOU : Non ! Non ! Non !

SARAH : Que je m'étende et que je laisse partir ce qui me reste de chaleur dans le corps pour accueillir le froid.

PITOU : Non ! Non ! Non !

SARAH : Le froid et l'obscurité. L'obscurité ? Jamais !

PITOU : Non ! Non ! Non !

SARAH : Jamais ! Je n'abandonnerai jamais ! Je ne dormirai plus, je ne mangerai plus, mais je serai toujours là, vivante ! Quand même !

PITOU : Non ! Non ! Non !

Pitou continue à crier alors que Sarah s'est tue. Il s'en rend compte. Il découvre aussi qu'il a réduit l'éventail en lambeaux. Un temps.

SARAH : Cet éventail était un cadeau, Pitou. Il m'avait été offert dans les jardins du Trocadéro pendant l'Exposition universelle de 1878. Par l'empereur de Ceylan. *(Un temps.)* Il avait coûté trois ans de travail à trente-deux prêtres bouddhistes. Trente-deux. Des milliers d'heures et de jours pour graver, teindre, peindre, ciseler, polir. Trente-deux prêtres. Ils ne s'arrêtaient que pour prier ou jeûner. Ils n'ont fait que cela pendant trois ans, Pitou.

Un temps. Pitou pose l'éventail avec précaution puis se baisse pour récupérer les notes que Sarah a éparpillées. Il les range dans le classeur bleu.

Pitou : Je ne sais plus où j'ai la tête, le climat de cette île est mauvais pour mes reins.

Sarah : Les prêtres de Ceylan ne sont pas responsables de vos reins.

Pitou : L'air de la côte me donne des allergies. Et chaque fois que j'éternue, ça me décolle le cerveau.

Sarah : Dois-je payer pour vos décollements de cerveau, Pitou ?

Pitou : Je ferai mère Sainte-Sophie.

Sarah : Non. Je vais fermer les yeux.

Pitou : Bonne idée. Nous allons rentrer et…

Sarah : Non.

Pitou : Voulez-vous que je remette un disque ?

Sarah : *(faisant non de la tête)* J'aimerais avoir mon ombrelle.

Pitou : Tout de suite.

Il va pour sortir.

Sarah : Elle sait qu'elle va mourir.

Pitou : Qui, Madame ?

Sarah : La boule qui râle là-haut. Elle va s'éteindre dans quelques petits milliards d'années. Elle le sait. Elle est furibonde. Elle se venge sur nous, la vieille salope. Elle est terriblement déçue de découvrir qu'elle n'est pas immortelle.

Un temps.

Pitou : Une boisson fraîche, Madame ?

Sarah : Bonne idée. Je vais me reposer en vous attendant. *(Pitou repart rapidement dans la maison. Sarah ouvre les yeux et regarde le soleil. Elle secoue vigoureusement la tête, luttant contre le sommeil. Elle attrape le classeur bleu et le fouille.)* Nom de Dieu, comment fait-il pour retrouver quelque chose dans ce fouillis ? Tout se trouve à la lettre *P*… *P* comme « Pitou » sans doute. « Production », « Parents », « Partenaires », « Prix ». Une vie entière à la lettre *P*. « Premières » *(Elle en sort un programme.)* Comédie-Française, *Le Mariage de Figaro*, janvier 1873 : mon Dieu, l'époque glaciaire. J'étais déjà là ? *(Elle continue à sortir des programmes.)*

Hernani. Cléopâtre. *Frou-Frou. (Elle brandit fièrement un programme au soleil.) Phèdre*, décembre 1874. Tout Paris, c'est-à-dire le monde entier, vit, brûle et souffre avec moi pendant deux heures, autant dire l'éternité. Inoubliable. Bientôt qui s'en souviendra ? *(Elle inspire profondément.)* Et maintenant, c'est avec Pitou que je joue. Avec toi pour seul public. Pitou et moi, deux enfants crasseux et épuisés, Pitou avec sa tête dessinée à la craie au tableau noir et ses ongles qui n'ont pas été nettoyés depuis sa communion, et moi… une vieille chair épuisée qui soupire et se désintègre, dont les griffes craquent et n'attrapent plus rien. Tout roule, ma boule, tout tombe vers la boue et l'obscurité. Et avec tant de faiblesse. Si peu de résistance. Un jour, quelqu'un passera ici et dira : « Regardez, il y avait un astre ici, autrefois. » *Elle défie le soleil puis se relâche dans son fauteuil, fermant les yeux. Pitou revient avec l'ombrelle. Constatant la position peu confortable de Sarah, il s'élance vers elle.*

PITOU : Madame ? *(Il pose une main sur son bras.)* Madame ? *(Sarah ouvre les yeux et lui sourit.)* Votre ombrelle, Madame.

SARAH : Et la boisson fraîche ?

PITOU : Une boisson fraîche ? Madame avait très clairement demandé son ombrelle. Mais pourquoi pas ? C'est une bonne idée.

SARAH : Ça ne fait rien. Où en étions-nous ? La Comédie-Française ? *Phèdre* ?

PITOU : Non, je ne pense pas.

Il s'assied pour étudier ses notes.

Sarah crie soudainement, comme Phèdre.

SARAH : « N'allons pas plus avant… »

PITOU : Quelle bonne idée. Rentrons.

SARAH : « Demeurons, chère Œnone. »

PITOU : *(inquiet)* Non, c'est Georges, Madame. Georges Pitou.

SARAH : « Je ne me soutiens plus ; ma force m'abandonne :
Mes yeux sont éblouis du jour que je revois ;
Et mes genoux tremblants se dérobent sous moi.
Hélas ! »

Elle triture ses vêtements comme Phèdre.

PITOU : *(apitoyé)* Hélas !

SARAH : « Que ces vains ornements, que ces voiles me pèsent !
Quelle importune main, en formant tous ces nœuds

A pris soin sur mon front d'assembler mes cheveux ?

Tout m'afflige et me nuit, et conspire à me nuire. »

(Elle regarde Pitou puis le soleil.)

« Noble et brillant auteur d'une triste famille

Toi dont ma mère… »

(Elle s'arrête et constate que Pitou ne l'écoute pas.)

« Soleil, je viens te voir pour la dernière fois. »

(Elle s'interrompt.) Pitou, vous ne m'écoutez pas !

Pitou : J'ai entendu la Phèdre de Madame des milliers de fois.

Sarah : La scène est nouvelle chaque fois que je la joue.

Pitou : Madame connaît mon opinion sur les auteurs classiques. Racine, Corneille ne décrivent pas des gens normaux, ils les prennent dans des asiles de fous, ces hommes qui souffrent de dilemmes, ces femmes qui poussent des cris de génisses en se jetant aux pieds de leurs amants, des gémissantes qui se tortillent, qui transpirent et qui finissent par se tuer en râlant des alexandrins pendant une heure. Dommage de se tuer quand on a d'aussi bons poumons.

Sarah : Personne ne s'est jeté à vos pieds en gémissant, en se tortillant et en transpirant pour vous ?

Pitou : Non, personne.

Sarah : *(cynique)* Vous me surprenez.

Pitou : Je suis fier de le dire : personne !

Sarah : Et vous, vous n'avez jamais haleté, gémi, perdu vos boutons de culotte pour une femme ?

Pitou : Comment ?

Sarah : Vous m'avez pourtant avoué avoir été amoureux, une fois, non ?

Pitou : Oui. Peut-être.

Sarah : Comment s'appelait-elle ?

Pitou : Je ne me souviens pas.

Sarah : Menteur. Attendez… Lisette.

Pitou : Vous croyez ?

Sarah : Lisette… ou Louison…

Pitou : *(corrigeant malgré lui)* Lisette.

Sarah : Racontez-moi.

Pitou : Il n'y a rien à raconter.

Sarah : Pourtant le mariage était fixé. Ça n'a pas marché ? Vous êtes-vous marié ?

Pitou : Non.

Sarah : Pourquoi ? Vous ne vouliez plus ?

Pitou : Si.

Sarah : Alors pourquoi ?

Pitou : C'est ma vie privée, Madame.

Sarah : Privée de mariage, pourquoi ?

Pitou : Pourquoi ? Pourquoi me faites-vous ça ? Rien dans mon contrat ne m'oblige à…

Sarah : Je fais Lisette. *(Elle se donne l'allure adolescente d'une jeune paysanne.)* S'il te plaît, Georges ! S'il te plaît ? Pourquoi ne veux-tu plus te marier ? Tu ne m'aimes plus ? As-tu rencontré une autre femme ? Ta mère s'oppose à notre…

Pitou : Arrêtez ! Elle n'était pas du tout comme ça.

Sarah cesse. Elle sait que Pitou va raconter.

Pitou : J'avais vingt-cinq ans. Elle en avait vingt-quatre. Elle s'appelait Lise, moi Georges, nous nous connaissions depuis l'enfance, son père faisait du pain et le mien du fromage, c'est vous dire comme nous étions destinés l'un à l'autre.

Sarah : Eh bien ?

Pitou : *(gêné)* J'arrivais au mariage…

Sarah : Vierge ? *(Pitou confirme.)* À vingt-cinq ans ?

Pitou : Et alors ?

Sarah : À la campagne ?

Pitou : Nous sommes moins précoces qu'au théâtre, Madame.

Sarah : *(compréhensive)* Bien sûr.

Pitou : Nous étions promis l'un à l'autre. « Georges et Lisette, disaient les gens, c'est inévitable ». Seulement, ils avaient tort.

Sarah : *(doucement)* Pourquoi ?

Pitou : Je passais la voir tous les jours après mon travail. Un après-midi, alors qu'il faisait une chaleur inhabituelle, je la trouvais seule dans le jardin de ses parents. Sous la pergola. Au milieu de la vigne qui nous chatouillait le cou. Il y avait une canicule à vous pousser aux bêtises. Lisette me regardait sans rien dire. Moi, j'avais peur tant je me doutais de ce qu'elle voulait.

SARAH : *(doucement)* Eh bien ?

PITOU : « Où est le mal, Georges ? Nous serons mariés dans quelques semaines. N'en as-tu pas envie ? » « Ce n'est pas une question d'envie, Lisette, c'est une question de principe. » Elle soupirait. Moi aussi. « Tu comprends, Lisette, j'ai le sens de l'ordre et de la tradition. J'ai besoin du prêtre, des cantiques et des fleurs. » Elle se taisait en faisant une moue ravissante. Même à moi, mes paroles me semblaient niaises.

SARAH : Alors ?

PITOU : Elle m'a pris par la main et m'a emmené au fond du jardin, sous les tilleuls, où il faisait sombre et chaud. Elle a commencé à se déshabiller, lentement, avec beaucoup de sérieux. Elle pliait chaque pièce de vêtement et la suspendait à une branche. Alors, j'ai fait pareil. En pliant. En rangeant. En accrochant. On aurait dit que nous étendions la lessive.

SARAH : Et puis ?

PITOU : À un moment, quand nous n'avions plus rien à accrocher, il a bien fallu se retourner pour se faire face. Et là… *(Un temps.)* Lisette s'est mise à rire.

SARAH : *(perplexe)* À rire ?

PITOU : Pas un rire de timidité. Ni un rire de nervosité. Non, un vrai bon rire, hilare.

SARAH : Un rire communicatif ?

PITOU : Pas tellement, non.

SARAH : Vous voulez dire que…

PITOU : Qu'elle riait de moi ? Oui, Madame.

Il regarde le soleil avec douleur. Un temps.

SARAH : Oh, Pitou, quelle souffrance.

PITOU : Elle ne s'arrêtait plus. Ma colère a remplacé ma gêne. J'avais envie de l'étrangler. Je voulais la tuer.

SARAH : Et ?

PITOU : J'ai préféré me rhabiller. Je suis parti.

SARAH : L'avez-vous revue ?

PITOU : Une seule fois. Lorsqu'elle est passée me dire qu'elle rompait nos fiançailles.

SARAH : Pourquoi ?

PITOU : « Georges, jusqu'à toi, je n'avais jamais vu un homme, je veux dire un homme tout entier. Pour te dire la vérité, je n'y avais même jamais pensé. *(Sarah lutte contre le rire.)* Ce n'est pas de ta faute, Georges, mais maintenant que je sais ce qu'est un homme, je ne peux plus prendre le mariage au sérieux. » Et là, j'ai senti qu'elle allait recommencer à rire. C'était plus fort qu'elle. *(Sarah lutte de plus en plus difficilement contre l'hilarité.)* Quelques années plus tard, quelqu'un m'a dit qu'elle était devenue illustratrice de contes pour enfants, qu'elle dessinait très bien les animaux et les nains.

Sarah recommence à rire. Pour se calmer, elle pose la main sur celle de Pitou.

Sarah : Je suis bouleversée par votre histoire, Pitou.

Pitou : Moi aussi, Madame. Toujours.

Sarah : C'est vrai que c'est une histoire touchante, réelle, vécue, comme Racine ou Corneille n'en raconteraient jamais.

Pitou : Ah, vous voyez ! Qu'est-ce que je vous disais !

Sarah manque de repartir dans le rire. Elle transforme cela en émotion et porte son mouchoir à ses yeux.

Sarah : Je suis très émue ! Alors que tout le monde pense que je ne suis qu'un vieux dragon à moitié mort qui lèche ses plaies, incapable d'un sentiment… *(Elle regarde la mer.)* Pitou, le soleil se couche.

Pitou : C'est une habitude qu'il a le soir, Madame.

Sarah : Non, il ne se couche pas, Pitou, il se lève ailleurs. Au Japon ou en Mandchourie.

Pitou : J'ai faim. Peut-être pourrions-nous rentrer ?

Sarah : Le soleil est l'un de mes parents, le saviez-vous ? Le reste du monde somnole. Pas le soleil. Pas moi. Nous n'avons pas besoin de dormir.

Pitou : Voulez-vous que je vous prépare une bonne tisane ?

Sarah refuse avec force en opinant du chef.

Sarah : Accomplir. Aller jusqu'au bout. Je n'ose pas fermer les yeux. Il se peut que je ne les ouvre plus jamais, plus sur ce monde-ci en tout cas.

Pitou : *(lassé, reprenant ses notes)* Phèdre ?

Sarah : *(avec énergie)* Non. L'Amérique !

Pitou : L'Amérique ? Avant le dîner ?

Sarah : L'Amérique, toujours avant le dîner. Sur la digestion, c'est trop lourd. L'Amérique ! La poussière ! Les dollars !

Elle rit.

Pitou : Hélas…

SARAH : New York ! La Virginie ! Le Texas ! La Californie ! Les Indiens !

PITOU : Les Indiens ?

SARAH : Et les locomotives…

PITOU : Les locomotives…

Résigné, il s'assied et griffonne pendant qu'elle parle.

SARAH : Nous sommes dans un wagon américain, entre les rails, les ponts, les tunnels et les étoiles. Toute ma troupe dort depuis longtemps. Même Jeanne, qui ronfle en serrant son biberon de gin contre elle. Mister Jarrett, l'imprésario les a tous envoyés à leur couchette. « Qu'est-ce que vous foutez là ! Vous avez besoin de repos, charlatans de mes deux, vous devez jouer demain. » Je suis étendue dans mon lit, les yeux ouverts. Il y a quelqu'un à côté de moi, je n'arrive pas à me souvenir de qui il s'agit, je n'ai eu de relations fidèles qu'avec mes créanciers. Sans importance. Je suis nue. Ève au jardin d'Éden. Accroupie devant la fenêtre, je regarde les lumières des villes miniatures et des fermes de poupée qui défilent devant moi. De temps en temps, des cow-boys miniatures sur des chevaux miniatures s'assemblent le long des voies pour voir passer, crachant du feu et de la poussière, le train privé de Miss Sarah Bernhardt. *(Accent de cow-boy.)* « Oh, yeah !… Sarah Bernhardt. La femme la plus vieille du monde ! En traversant les États-Unis, elle a ramassé plus de fric que Billy the Kid ! » *(Pitou sourit et note. Le jour baisse.)* L'Amérique. Le président Wilson. Le président Roosevelt. Le président Mac Kinley si mignon qui a été descendu à coups de revolver. Monsieur Edison qui me parlait de Shakespeare et de l'électricité. « Des forces de la nature, Miss Bernhardt, comme vous ! » On me surnomme la Juive errante. Je joue sans cesse *La Dame aux camélias*. Les Américains adorent me regarder mourir. Camille, ils appelaient ma dame aux camélias. *(Avec l'accent.)* « K'mille »… je n'ai jamais compris pourquoi, peut-être parce qu'il n'y a pas de camélias en Amérique. « K'mille » au lieu de Marguerite. Je leur expliquais que c'était un prénom d'homme. K'mille. Ça ne les dérangeait pas.

PITOU : *(avec mépris)* Pfff… les Américains…

SARAH : Mister Jarrett me disait : « Camille, c'est une fichue tirelire. Jamais vu une putain tuberculeuse qui rapporte autant d'argent. » Chaque fois que je perdais un poumon, les théâtres se remplissaient jusqu'à craquer.

Elle ferme les yeux, prend de petites respirations rapides et porte sa main à son côté droit. Pitou s'arrête d'écrire et lève la tête, inquiet.

PITOU : Madame ?

SARAH/MARGUERITE GAUTIER : « Au moins, reste près de moi pendant un instant. *(Elle ouvre les yeux)* Armand. Tout près de moi… très près. »

Pitou s'assied près d'elle à contre-cœur. Elle lui prend la main et la serre sur sa poitrine.

SARAH/MARGUERITE GAUTIER : « Tous ces mois où tu étais parti, Armand, j'étais en colère contre la Mort. Mais aujourd'hui, la Mort et moi nous pouvons redevenir amies parce qu'elle m'offre ces derniers instants si précieux avec toi. Avec toi, le seul homme que j'aie vraiment aimé. Est-ce que tu comprends ? Dis-moi que tu comprends. »

PITOU : *(improvisant Armand Duval)* « Oui, oui… Marguerite, je comprends. »

Après un temps, elle prend une grande inspiration et sourit.

SARAH/MARGUERITE GAUTIER : « Comme c'est étrange. Je ne souffre plus. On dirait que la vie rentre en moi. J'éprouve un bien-être que je n'ai jamais éprouvé. Je vais vivre. Oh, comme je vais vivre, comme je suis heureuse ! »

Elle se dresse, souriante. Calme. Radieuse. Soudain, elle frissonne, ferme les yeux, lève une main, a un spasme. Elle tente plusieurs fois de s'agripper à l'air. Elle se fige. Tout d'un coup, son corps se détend et tombe lentement en arrière dans sa chaise. Marguerite est morte. Pitou la fixe pendant quelques secondes.

PITOU : *(récitant les dernières répliques)* « Repose en paix, chère Marguerite. Il te sera beaucoup pardonné car tu as beaucoup aimé. » *(Pour lui-même.)* Psscht. Rideau. La foule en délire.

Sarah se redresse, Sarah ouvre les yeux et sourit.

PITOU : Bravo, Madame. Vous mourez toujours très bien.

SARAH : Bravo, Pitou, vous vous souvenez même des répliques de Nichette.

PITOU : Madame a sans doute oublié qu'un soir, à Kansas City, la sœur de Madame était tellement saoule que vous m'avez demandé de mettre une perruque et de jouer le rôle de Nichette.

SARAH : *(riant)* Oui, oui, Madame s'en souvient. Finalement, j'ai tellement rempli Jeanne de cet infect café noir américain qu'elle a pu monter sur scène et que nous avons épargné à un innocent public américain vos débuts d'acteur.

PITOU : *(vexé)* Je n'ai jamais prétendu être acteur, Madame. Je voulais rendre service.

SARAH : *(jetant soudain un coup d'œil au paysage)* Mon Dieu, Pitou, il fait presque nuit noire…

PITOU : Oui. Êtes-vous prête à dîner ?

SARAH : Non. Il faut résister à la nuit qui vient. J'ai une idée.

PITOU : Oh non !

SARAH : Vous êtes Mister Jarrett désormais. Mon imprésario. L'horrible Mister William Edward Jarrett !

PITOU : Mais je ne saurai pas…

SARAH : Chut. C'est un autre soir dans le train, près de Boston. Nous sommes bloqués. Un troupeau de vaches broute sur la voie.

PITOU : *(s'asseyant avec fatigue)* Ils ont des vaches en Amérique ? Ce devait être des bisons plutôt.

SARAH : L'horrible Mister Jarrett a organisé mes premiers spectacles en Amérique. Il n'a pas son pareil pour prolonger une tournée en diminuant les cachets. Un énorme Américain né avec une moustache et un cigare qui pue. Vous ne l'avez pas connu, Pitou, c'était il y a des siècles et il est mort depuis. J'essaie de me reposer dans mon wagon, de l'oublier. Mais il ne va pas me laisser tranquille, le vieux bandit, il va venir grogner et cogner à ma porte comme un buffle enragé.

Un temps. Pitou ne bouge pas. Sarah ouvre les yeux pour lui lancer un regard méchant.

SARAH : Sainte Marie Mère de Dieu, est-il possible que ce soit Mister Jarrett, à cette heure-ci ? Grognant et cognant à ma porte ? *(Pitou comprend, se résigne, soupire et frappe sur la table. Sarah fermant les yeux.)* Oui ? Qu'est-ce que c'est ?

Pitou soupire de nouveau et se lève.

PITOU/JARRETT : C'est moi, Mademoiselle… Miss Bernhardt. *(Il cherche un crayon et s'en sert comme accessoire pour figurer le cigare. Il prend une voix basse et vulgaire.)* Mister Jarrett. Mister William Edward Jarrett.

SARAH : Je suis déjà couchée. Bonne nuit, Mister Jarrett.

PITOU/JARRETT : Non, ça ne peut pas attendre. Ouvrez cette porte. *(Ne trouvant pas d'accessoire à frapper, il imite lui-même le bruit.)* Boum, boum, boum !

Sarah : Mister Jarrett, vous m'avez imposé un emploi du temps épuisant pour m'exhiber aux Américains tout autant qu'un veau à deux têtes. Même les veaux à deux têtes ont besoin de repos. Allez-vous en.

Pitou/Jarrett : Très bien. Bonne nuit, Miss Bernhardt, faites de beaux rêves.

Il enlève le crayon de sa bouche, tout content et se rassied.

Sarah : Pitou !

Pitou : Madame ?

Sarah : Mister Jarrett n'est pas arrêté par si peu. Il n'a aucun savoir-vivre. Il doit me parler. Il fulmine. « Bordel de merde, Miss Bernhardt, vous me prenez pour un gigolo ? Pour un de ses lèche-culs d'acteurs prêts à grimper sur n'importe quoi pour obtenir un rôle ? Vous croyez que je fais partie de votre écurie d'étalons ? »

Pitou : Ça non, Madame ! Je ne pourrai jamais parler à Madame de cette façon.

Sarah : Ce n'est pas vous, Pitou, c'est Mister Jarrett. Contentez vous de saupoudrer délicatement vos phrases de « putain » et de « bordel » ; « putains d'actrices ! », « putains d'hôtels ! », « bordel de putains d'Américains ! » Tel était son style, et son unique charme…

Pitou : Je ne suis pas obtus. Je comprends très bien le point de vue et la philosophie de Mister Jarrett mais lorsqu'il s'agit de prononcer certains mots comme « pu… » *(Il n'y arrive pas et réessaie.)* « Put… », même pour vous, je ne peux pas le faire.

Sarah a un soupir désespéré. Elle grogne.

Sarah : Nous jouerons donc la version expurgée.

Pitou : S'il vous plaît.

Sarah : Alors, frappez de nouveau, Mister Jarrett, frappez encore.

Pitou serre le crayon entre ses dents et frappe sur la table.

Sarah : Entrez, Mister Jarrett.

Pitou/Jarrett : *(mimant celui qui défonce la porte)* Comment saviez-vous que c'était moi, Miss Bernhardt ?

Sarah : *(avec un regard castrateur)* Je suis fatiguée. Que voulez-vous ?

Pitou/Jarrett : Ce que je veux ?

Sarah : Est-ce à propos d'argent ?

Pitou, ne le sachant pas, consulte Sarah qui lui fait un signe négatif de la tête.

Pitou/Jarrett : Non, ça n'a rien à voir avec l'argent, Miss Bernhardt.

Sarah : Est-ce à propos de Darwin ?

PITOU : Darwin ?

SARAH : Mon petit Darwin, mon singe du Congo, a-t-il encore grignoté le capitonnage de la voiture panoramique ? Ou Bizibouzou, mon perroquet s'est-il attaqué à vos chapeaux ?

Pitou, incertain, l'interroge du regard. Elle dénie encore.

PITOU/JARRETT : Non, rien à voir avec vos animaux.

SARAH : Alors quoi ? Lâchez le morceau, Mister Jarrett, et quittez ma chambre. De quoi s'agit-il ?

PITOU/JARRETT : Miss Bernhardt, put… saperlipopette, vous savez très bien ce qui m'amène.

SARAH : Je n'en ai pas la moindre idée. *(Elle le nargue. Pitou, de plus en plus dans son rôle, fait un geste menaçant.)* À moins que vous n'ayez forcé ma porte ce soir pour vous immiscer dans ma vie privée avec cette goujaterie typiquement américaine ? Vous voulez me torturer au sujet de ma sœur ? Ou pire, de mon mari ?

Pitou comprend qu'il s'agit de cela. Soulagé, il sait comment continuer.

PITOU/JARRETT : Votre mari, justement. Parlons-en !

SARAH : Cessez de persécuter mon mari, Mister Jarrett. Moi qui lui avais promis qu'il serait heureux au théâtre… Non seulement vous avez rechigné à l'engager mais vous voulez maintenant lui enlever ses rôles. C'est le meilleur Armand Duval avec lequel j'aie joué, en tout cas le plus beau. Avez-vous quelque chose contre les Grecs ?

PITOU/JARRETT : Miss Bernhardt, c'est notre cinquième tournée américaine et, à chaque fois, vous avez emporté un bagage masculin différent.

SARAH : Et alors ?

PITOU/JARRETT : Alors, je ne me suis jamais plaint auparavant. Parce qu'auparavant, vous n'avez jamais épousé votre bagage.

SARAH : Bien sûr. Je ne pouvais pas. Je n'étais pas amoureuse. Je n'ai jamais éprouvé l'amour que j'éprouve aujourd'hui. Même un Américain doit pouvoir comprendre ça.

PITOU/JARRETT : Je ne parle pas d'amour, Miss Bernhardt, je parle business. Argent ! Dollars ! La seule raison pour un Européen de venir dans ce trou perdu ! Votre mari est anticommercial. Je ne parlerai pas de ses défauts d'être humain – je n'ai pas le temps –, je vous parle de l'acteur qu'il n'est pas, de son texte qu'il oublie, de ses places en scène qu'il ignore, du fait qu'il se cogne et qu'il trébuche dans les décors. Je ne sais plus à quoi je dois attribuer cela, à son inexpérience ou à son penchant pour la morphine. Depuis quand se drogue-t-il ?

SARAH : Qui vous a raconté ces horreurs ?

PITOU/JARRETT : Je vous conseille de le poser dans un bateau pour la France et de le faire entrer dans un hôpital où l'on soigne des gens comme lui.

SARAH : Jarrett ! Vous abusez de votre position ! Comment osez-vous accuser Jacques, un homme de bien ? Qu'est-ce que vous connaissez, vous, aux gentlemen ? Je suis fière de porter son nom. D'ailleurs à l'avenir, vous êtes prié de m'appeler Madame Damala.

PITOU/JARRETT : Le public paie pour voir Sarah Bernhardt. Pas madame Damala. Et encore moins monsieur Damala.

SARAH : *(très excitée)* Oh Pitou, vous êtes inspiré. Vous êtes encore plus mufle et grossier que…

PITOU/JARRETT : Non, Miss Bernhardt, pas de faux-fuyants. Réglons une fois pour toute cette putain de question.

SARAH : Pitou !

PITOU/JARRETT : Et votre putain de bordel de Pitou ne peut pas vous aider, espèce d'emmerdeuse patentée. Je veux une putain de réponse à ma putain de question. Et vite, bordel de merde !

SARAH : Je ne vous dois aucune réponse, Jarrett. Mon cœur, mon âme et même ma courtoisie, tout vous est fermé désormais.

PITOU/JARRETT : Rien à foutre de votre courtoisie, et rien à braire de votre âme non plus, sauf si c'est elle qui monte sur scène et qui prend les dollars des poches de ces connards d'Américains. J'ai soif. J'ai la gorge aussi sèche qu'un canyon. Vous n'avez rien à boire.

SARAH : Rien.

Il se dirige vers les alcools et se sert.

PITOU/JARRETT : Bordel, Miss Sarah, au prix où je paie vos putains d'exhibitions, vous pourriez quand même offrir un whisky ? Je veux que vous me foutiez dehors ce Damala qui n'a pas plus de cœur que de cervelle même s'il présente très bien. À quoi sert d'avoir l'allure d'un gentleman quand on a l'esprit d'un chimpanzé ?

SARAH : *(prise au jeu)* Mister Jarrett, ne prenez pas le risque de me demander de choisir entre vous et monsieur Damala. Jacques est mon mari.

L'homme que j'aime. Je me moque de ce que vous pensez tous, il est, il était, il sera toujours le seul. (*Un temps. Musique. Sarah plonge son regard dans les derniers rayons du soleil couchant. Pitou enlève le crayon de ses dents et l'observe avec inquiétude.*) C'était Jeanne qui me l'avait présenté. À Paris. Jacques Aristide Damala. Il avait la barbe la plus parfaite que j'aie jamais vue, des yeux de princesse d'Égypte. Tous les Grecs sont beaux à trente ans. Je l'avais remarqué, mais c'est plus tard que je suis tombée amoureuse. À Saint-Pétersbourg. Au casino. À l'époque, il gagnait toujours. Il était heureux, sans produits chimiques. (*Elle porte la main à son côté droit avec précaution et ferme les yeux. Pitou s'assied et écrit sous le peu de lumière qui reste.*) Il a appris à mon fils à tricher aux cartes ; Maurice l'a détesté quand même. On m'a dit quelques années plus tard que Jeanne et lui avaient… avant que je le rencontre… que c'était Jeanne qu'il aimait vraiment. (*Elle ouvre les yeux.*) Quand nous sommes jeunes, il nous faut leurs corps. Leurs ventres plats. Leurs grands pieds. Leurs poils sur la poitrine qu'on enroule dans nos doigts. Plus tard, nous apprenons à apprécier autre chose d'eux : leur cerveau – s'il existe –, l'atmosphère masculine faite de fumée, d'honneur, d'alcool et d'insolence. Plus, tard encore – c'est là que je suis –, on revient à leurs corps. N'est-ce pas, Maman ? La vieille chair soupire et essaie d'attraper quelque chose de jeune – Jacques ? (*Un temps.*) Jacques…

Elle ferme les yeux de nouveau, lentement, avec délibération. Pitou se lève et s'approche.

Pitou : Madame ? (*Il touche son bras.*) Madame ?

Sarah : (*lui prenant la main sans ouvrir les yeux*) Pas Madame, Jacques, ça me vieillit. C'est insultant de la part d'un amant, encore plus de la part d'un mari. (*Elle l'attire.*) Je me suis laissé dire que les meilleurs amants du monde étaient les Grecs. Juste après les Suédois. Mais qui a jamais pu prendre un Suédois au sérieux ? (*Elle rouvre les yeux mais ne regarde pas Pitou.*) À quoi penses-tu, Jacques ? Quel âge me donnes-tu ? Allez. Dis-le. Je te donne une indication : je n'ai jamais connu Louis XIV. (*Elle rit.*) Alors, Jacques, devine mon âge.

Pitou : Madame a soixante-quinze ans.

Sarah : (*riant*) Sérieusement, Jacques.

Pitou : Madame a… trente-cinq ans.

Sarah : J'ai trente-huit ans.

Pitou : Ce n'est pas possible.

Sarah : Je sais, je ne les fais pas. J'ai toujours pris soin de ma peau. Des crèmes. Pas de soleil. Les seules choses valables que ma mère m'ait apprises. Une femme ne doit pas se consumer en quelques trop brèves années. Si une femme dure, ça dépend d'elle. Sois gentil avec moi, Jacques. La gentillesse, ça aide à durer.

Pitou : Nous essayons tous d'être gentils avec vous, Madame.

Sarah : Mets tes bras autour de moi, Jacques. Et serre. *(Elle obtient ce qu'elle veut de Pitou. Des voix et des rires se font entendre dans la maison. Quelques lumières s'allument à l'intérieur.)* Qu'est-ce que c'est ?

Pitou : Votre fils Maurice et les autres…

Sarah : Ne fais pas attention à Maurice, il n'est qu'un enfant, il apprendra à t'aimer, Jacques. Donne-lui du temps.

Pitou : Si nous rentrions voir s'ils en ont attrapé ?

Sarah : Attrapé quoi ?

Pitou : Des crevettes.

Sarah : De quoi parles-tu, Jacques ? Je n'arrive jamais à te suivre. Dis-moi quelque chose de fort et de précis. Répète-moi ce que tu m'as dit la première nuit. *(Pitou se dégage en souplesse mais avec fermeté.)* Jacques ?

Pitou : Pitou, Madame, Pitou. C'est Pitou. *(Sarah se retourne pour le regarder dans la pénombre. Elle laisse échapper un petit râle pour marquer sa déception.)* Votre petite-fille va bientôt vous réclamer. La famille a prévu un feu d'artifice sur la plage en votre honneur. Nous devrions rentrer.

Sarah : Rentrez, vous.

Pitou : Et vous ? Vous n'allez pas vous sentir mal ?

Sarah : Je me sens toujours bien lorsque je suis seule. *(Un temps. Pitou reprend l'ombrelle et le coffret de disques.)* Mon ombrelle. Laissez mon ombrelle, imbécile, sinon je vais finir mouchetée comme une truite.

Pitou : Il fait nuit.

Sarah : Laissez-moi mon ombrelle. Il y a une lune impitoyable ce soir. *(Pitou s'exécute. Elle ouvre l'ombrelle et la maintient au-dessus de sa tête. Un temps.)* Vous êtes parti, j'espère ?

Pitou : Non, Madame.

Il sort rapidement. Sarah demeure seule.

SARAH : J'ai tout jeté par terre, les oreillers, les couvertures. Je ne supportais plus rien entre nous. Ses beaux yeux se fermaient. « Tu dors. Jacques. » « Non. » « À quoi penses-tu ? » « À rien. » Il faisait une chaleur insupportable dans cette chambre sans air et sans lumière de la rue d'Antin. Le plancher était recouvert de petites bouteilles en verre, vidées de leur morphine, de leur opium ou de leur cocaïne. Tu avais dégoûté et lassé tout le monde, sauf moi. Ton corps, profané par des milliers de cicatrices d'aiguilles, était toujours mon objet de culte. Tu devenais si faible que cela te rendait agressif, sournois. « Alors, Madame Sarah, est-ce que tu veux toujours rentrer dans mon corps ? Vivre à l'intérieur de moi ? » « Oui. » Le soir où tu es mort, je te tenais contre moi et je regardais la voûte obscure pour voir ton âme se faufiler entre les étoiles. Saloperies d'étoiles ! À l'époque, je ne savais pas qu'elles mourraient, elles aussi, qu'elles étaient occupées à mourir. De vieilles putes étincelantes et trompeuses ! Pas meilleures que moi ! Et pas plus immortelles !

Pitou revient. Sarah relève son ombrelle.

PITOU : Madame ? Tout le monde vous réclame.

Un temps.

SARAH : Je sais.

PITOU : Monsieur Maurice m'a donné l'ordre de vous faire rentrer, que vous le vouliez ou non.

Pitou aide Sarah à se lever. Ils marchent, l'ombrelle toujours ouverte.

Soudain un feu d'artifice déchire la nuit, lumières et bruits éclatant en même temps au-dessus de leur tête.

SARAH : Mon Dieu, qu'est-ce que c'est, Pitou ? Le soleil qui explose et qui meurt, déjà ?

Fin de la première partie.

Deuxième partie

Nuit. La lumière des étoiles et la flamme d'une lampe-tempête qui menace de s'éteindre. Sarah entre, en chemise de nuit blanche. Comme un enfant tire un jouet, elle traîne son ombrelle derrière elle. Sous l'autre bras, elle serre une grande boîte de maquillage. Pitou surgit, en robe de chambre, pyjama et pantoufles. Inquiet, il observe Sarah un instant.

Pitou/Jarrett : Putain de bordel, Miss Bernhardt ! C'est ça que vous appelez du repos ? Retournez dans votre wagon !

Sarah se retourne et le dévisage.

Sarah : Pitou ?

Pitou/Jarrett : Rôder encore à cinq heures du matin comme une vieille marcheuse ? Comment diable arrivez-vous à rester séduisante en dormant aussi peu, c'est un putain de merde de miracle pour moi, sauf vot'respect.

Sarah : Arrêtez. N'essayez pas de m'amadouer. Je ne suis pas une petite fille qu'on endort en lui promettant une longue histoire pour le lendemain. Je sais que demain est une illusion. Je veux comprendre ce que je fais sur cette planète. Je vais mourir bientôt.

Pitou : Impossible.

Sarah : Si.

Pitou : Pas vous.

Sarah : Si. Vous les hommes, vous mangez, vous dormez, vous faites l'amour et un jour vous tombez raide mort sans avoir rien deviné. Nous les femmes, nous sommes plus soupçonneuses. Je vais mourir très bientôt.

Pitou : Vous avez promis à votre petite-fille de vivre au moins jusqu'à cent trois ans.

Sarah : Je ne tiens jamais mes promesses.

Elle se laisse tomber sur une chaise.

Pitou : Qu'est-ce que vous avez apporté, là ? Votre boîte à maquillage ?

Sarah : Oui.

Pitou : Donnez-la moi, elle est toute sale.

Sarah : Bas les pattes. C'est tout ce qui me reste pour affronter les événements.

Il insiste. Elle ne le laisse pas faire.

Sarah : Il faut que je me prépare. Au cas où elle aurait l'audace de reparaître ici et de me rencontrer.

Pitou : Qui ?

Sarah : La boule. La mourante, là-haut, qui est toujours souriante. Je ne veux pas qu'elle me trouve comme ça.

Elle ouvre la boîte.

Pitou : Il est cinq heures du matin, je vais réveiller monsieur Maurice.

Sarah : Laissez Maurice tranquille. D'ailleurs il n'a même pas été fichu d'attraper des crevettes.

Pitou : On vous les a servies au dîner et vous les avez rejetées.

Sarah : Trop petites. *(Un temps.)* Cesse de me regarder comme cela, on dirait George Bernard Shaw, c'est insoutenable. Cette gueule de rat végétarien avait le même air que toi, au premier rang, lorsque j'ai osé jouer Hamlet à Londres. Immondes critiques ! Des insultes dans les journaux ! Des jappements d'Anglais effarouchés ! Comme si Jeanne d'Arc était montée sur scène. Qu'est-ce qu'il croyait ? Que j'allais jouer Ophélie ou le fossoyeur ? Quel est le rôle principal ? *(Un temps. Elle s'affaisse en regardant la mer. Pitou s'emmitoufle dans sa robe de chambre.)* Aucun critique ne m'a jamais comprise, ni dans mon pays ni dans un autre. Et aimée ? Encore moins. Insultes, quolibets, calomnies. Pourtant, même si je ne suis pas facile à comprendre – qui l'est vraiment ? –, même si je suis difficile à aimer – la facilité inspire-t-elle l'amour ? –, ne pouvait-on au moins me laisser le bénéfice du doute ? Le doute constant et généreux sans lequel il n'y a plus d'espoir, ni dans la vie, ni au théâtre… Ne pouvait-on me faire confiance ? *(Soudain elle jette un regard furieux à Pitou.)* Confiance… ce mot doit te faire de l'effet, Pedro.

À moitié endormi, Pitou lève la tête, Sarah insiste avec rage.

Pitou : Pedro ?

Sarah : Pedro !

Pitou : *(par réflexe)* Oui ?

Sarah : Ah tu es là, tu oses encore te montrer, espèce de porc brésilien sans cervelle ! Tu crois peut-être que j'allais t'oublier !

Pitou : Ah, oui, Pedro. Le machiniste.

Sarah se lève et marche vers lui pour le sermonner.

Sarah : Machiniste ? Tu as l'audace de te faire appeler machiniste ? Tu n'avais qu'une seule chose à faire pendant tout le spectacle, Pedro, une seule : placer mon grand matelas sous les remparts du château Saint-Ange pendant *La Tosca*. Quand je ne suis pas Marguerite qui crève des bronches dans *La Dame aux camélias*, je suis Floria Tosca qui saute dans le Tibre du haut d'une prison forteresse, triple andouille. Naturellement, les remparts sont en carton et le Tibre rempli de duvet. Aucune mort ne m'effraie, Pedro, je suis une virtuose de la mort, Pedro, une acrobate, mais il me faut mon matelas. Alors la Sarah Bernhardt est tombée de trois mètres de haut sur le sol en bois dur. Elle est arrivée sur le genou droit, la signora Bernhardt. On a baissé le rideau, on a applaudi, on a lancé des hourras, des chapeaux, le président du Brésil a embrassé la baronne de Rothschild. Brava la Tosca ! Brava la Bernhardt ! La signora Bernhardt, comme une poupée cassée sur le sol en bois dur, a vu ce crapaud de machiniste brésilien qui ronflait tout son soul dans son coin puant, sur mon matelas, six mètres plus loin. *(Elle s'accroche à Pitou pour se relever. Dans l'effort, elle grimace, s'immobilise, le regarde avec haine puis se tourne vers le public et arbore un sourire de diva et salue.)* Et la signora Bernhardt s'est ramassée pour venir saluer. Une fois. Deux fois. Vingt fois. Nous en avons même ri ensemble, tu te souviens, Pedro ? Dix ans. Dix ans à consulter tous les médecins. Dix ans à me faire masser, brûler, congeler, plâtrer. Et maintenant ? *(Elle s'assied près de Pitou.)* Et maintenant que peut-on faire, docteur ?

Pitou : Docteur ?

Sarah : *(acharnée)* Que peut-on faire ?

Pitou : Madame…

Sarah : La vérité, docteur. Je suis un être rationnel, quoi qu'on ait pu vous dire. Il va falloir me couper la jambe, n'est-ce pas ? *(Pitou la regarde, fait un effort pour parler, mais n'y parvient pas.)* C'est cela, n'est-ce pas ?

Pitou/Le Docteur : Oui.

Sarah : Quand ?

Pitou/Le Docteur : Eh bien…

Sarah : Le plus tôt sera le mieux, je suppose ?

Pitou/Le Docteur : Oui.

Sarah : Vous craignez que l'infection ne se propage ? Où allez-vous couper ? En dessous du genou ? Au-dessus ? Toute la jambe ? *(Pitou acquiesce. Elle lui attrape la main.)* Mon Dieu, docteur, quelle… quelle « chose ». Mère Sainte-Sophie prétendait que j'avais toujours une expression qui convenait à chaque circonstance. Mais là, docteur, là… je dois admettre que j'ai une panne de vocabulaire. Quelle « chose » ! J'ai du mal à embellir, à réinventer. Quelle « chose » ! *(Changeant brusquement d'humeur.)* Il faut que j'envoie un télégramme. À George Bernard Shaw. « Viendrai en Angleterre saison prochaine. Stop. Jouerai le Roi Lear. Avec une jambe en moins pour me porter. Stop. »

Elle lâche la main de Pitou et se lève.

Sarah : Docteur, je veux être opérée. Vite !

Pitou/Le Docteur : Madame, vous avez soixante et onze ans !

Sarah : Justement, j'ai encore dix ou quinze ans à vivre : pourquoi voudriez-vous que je souffre et que je demeure inactive ? Si vous refusez, je me flanque une balle dans le genou et alors il faudra bien m'amputer.

Pitou/Le Docteur : Madame !

Sarah : Je me bats l'œil de ma jambe ! Qu'elle coure où elle voudra ! Docteur, c'est la guerre en ce moment, nos soldats luttent dans les tranchées, on coupe des jambes agiles à des garçons de vingt ans et vous, vous me refuseriez cela ? Docteur, décrivez-moi cette « chose ».

Pitou : Quoi ?

Sarah : L'amputation.

Elle retourne à la table et s'assied devant la boîte à maquillage.

Pitou : Madame, je vous en supplie. *(Reprenant son rôle.)* Un médecin n'est pas tenu de décrire à ses…

SARAH : Docteur, j'ai besoin de voir la vérité en face. Même si elle est dégoûtante. Je ne bougerai pas et vous ne bougerez pas tant que vous ne m'aurez pas tout dit.

PITOU : Vous ne souhaitez tout de même pas que…

SARAH : Si.

PITOU : Non.

SARAH : Si. Maintenant. Les yeux ouverts. Sans mélodrame.

PITOU : Non ! *(Un temps. Ni l'un ni l'autre ne baissent les yeux.)* Dans ce cas.

Il cherche un document dans le classeur bleu.

SARAH : Dans ce cas.

Elle ouvre sa boîte à maquillage et commence à se servir de la poudre.

PITOU : *(lisant)* « Rapport du médecin militaire lieutenant-colonel Denucé, attaché à l'hôpital militaire de Bordeaux, le 14 février 1915… »

SARAH : Jour de la Saint-Valentin. On ne le sait pas mais il n'y a pas de meilleur jour pour perdre une jambe. *(Durement.)* Les détails. Tous les détails.

Elle continue son maquillage.

PITOU : « Étant donné le risque de gangrène, nous avons pratiqué sur madame Bernhardt une amputation ouverte dite « à la guillotine. »

Bouleversé, il se racle la gorge.

SARAH : Continuez. Vous êtes médecin, vous côtoyez la douleur et la mort tous les jours.

PITOU : « Nous avons pratiqué l'incision circulaire habituelle, sept centimètres au-dessus du genou droit. »

Il se remet une seconde.

SARAH : Excellent. Continuez.

PITOU : « Après avoir incisé la peau et les tissus sous-cutanés, nous avons attendu les quarante-cinq secondes rituelles pour qu'ils se rétractent. Ensuite, j'ai attaqué les muscles. »

SARAH : Très bien. Continuez.

PITOU : « Nous avons scié l'os. » *(Il déglutit avec difficulté.)* « Puis ligaturé les nerfs et les vaisseaux…. »

SARAH : Les vaisseaux sanguins. Continuez. Jusqu'ici, c'est un sans-faute.

PITOU : « Nous avons retiré la partie infectée du membre en laissant un moignon qui… qui… » *(Il jette soudain le rapport au loin.)* Pourquoi est-ce que je fais cela ?

SARAH : Je vous ai engagé pour m'aider.

PITOU : Vous aider à quoi ? À souffrir ?

SARAH : Quand croyez-vous que je souffre le plus ? Avec deux jambes dont une malade ou sur une seule jambe saine ? Vous vous perdez dans les détails, Pitou.

Il sort une lettre de son dossier.

PITOU : Tenez.

SARAH : Qu'est-ce ?

PITOU : Une lettre d'un Américain. Je vous l'avais cachée. Lorsqu'il a appris qu'on allait vous amputer, il vous a proposé dix mille dollars pour obtenir la jambe.

Sarah éclate de rire et parcourt la lettre. En la repliant, elle ajoute.

SARAH : Dommage que je l'ai su trop tard ! *(Elle a terminé son maquillage et le vérifie dans le miroir de la boîte.)* Comment suis-je ?

PITOU : Aussi jeune que toujours.

SARAH : Vieux menteur. Vous ne trouvez pas que je ressemble à quelqu'un ? Non ? Regardez : copie conforme.

PITOU : Votre petite-fille ?

SARAH : Cette minuscule sauterelle anonyme ?

PITOU : Madame !

SARAH : Allez, devinez Pitou.

Elle lui fait un sourire grotesque pour qu'il la reconnaisse.

PITOU : Désolé, je n'en ai pas la moindre idée.

SARAH : Mais si. Je suis son vrai sosie.

PITOU : Non.

SARAH : Cet horrible mime qui jouait dans un théâtre délabré où régnait une odeur de crypte. Celui qui faisait « Pierrot revient du pays de la Mort. » Vous vous souvenez maintenant ? Dans les années 1860…

Pitou se frotte les paupières, épuisé.

PITOU : Je n'étais pas né, Madame.

SARAH : On vous en aura parlé.

PITOU : Non.

SARAH : Alors, imaginez.

PITOU : À cinq heures du matin, Madame, je n'imagine plus. Mais plus rien du tout. Ou alors dans mon lit.

Sarah dit subitement d'une voix forte.

Sarah : Pierrot revient du pays de la mort. Il se souvient avec précision que personne ne l'a jamais aimé, personne. Ni aimé, ni compris. *(Elle attrape son cœur.)* Alors il veut mourir de nouveau. Il veut rejoindre les morts, Pierrot, arrêter de craquer, de se déplier, de désirer, il veut se fondre dans la boue et l'obscurité définitives. Mon Dieu, je t'en supplie, donne-moi l'oubli. Notez. Notez vite !

Pitou se traîne vers la table pour prendre papier et crayon.

Sarah : « Je regrette tout. À aucun moment de ma vie, je ne me suis sentie bien. Pas de douceur. Pas de chaleur. Pas de bonheur. Pas de sens. Pas un seul instant qui justifie l'existence. Rien. Ni pour moi, ni pour les autres. Nous rampons tous dans le même marais immonde »

Pitou n'écrit pas. C'est volontaire.

Sarah : Note.

Pitou : Non.

Sarah : Note.

Pitou : Jamais.

Sarah : Pourquoi ?

Pitou : Parce que je savais que depuis des mois vous vouliez en arriver là, Madame. Et que tous les jours j'ai essayé de l'éviter.

Sarah : Note. C'est ma dernière réplique avant que le rideau ne tombe. Rien ne vaut la peine d'être vécu et le soleil a raison de se brûler le plus vite possible. Note !

Pitou : Je refuse.

Menaçante, Sarah avance vers lui, quoique avec difficulté.

Sarah : Tu n'es pas une chose qui peut choisir de refuser, tu n'es qu'une petite bête sans colonne vertébrale et sans âme que j'ai trouvée à marée basse.

Pitou se lève et lui fait face.

Sarah : Assieds-toi et écris.

Pitou : Non. Les pensées négatives ne sont pas pour vous. Vous êtes la joie de vivre, Madame, l'énergie, le bonheur, l'enthousiasme. Ce n'est pas vous qui me parlez en ce moment, c'est l'heure, c'est le climat, c'est l'air marin, c'est je-ne-sais-quoi mais pas vous. Pas Sarah Bernhardt. Vous êtes forte, increvable, vous ne vous découragez jamais, les échecs vous font rire.

Sarah : Je suis pleine de haine.

PITOU : Pas vous. Vous vous protégez des insultes par le mépris. Vous dites toujours que le mépris est plus reposant que la haine. Rien d'autre que la mort ne peut vous abattre. Vous n'avez pas droit au désespoir.

SARAH : Pas droit au désespoir ? Te rends-tu compte de ce que tu dis ?

PITOU : Non, vous me l'avez dit vous-même, vous êtes parente avec le soleil. Vous êtes un soleil.

SARAH : À quoi sert le soleil ?

PITOU : À nous faire oublier que l'univers est obscur.

Il tourne les talons et se dirige vers la maison. Sarah demeure touchée, vacillante, hésitant entre sa colère et le plaisir de l'hommage que Pitou vient de lui rendre.

SARAH : Alors c'est moi qui vais l'écrire. Je le ferai comme j'ai tout fait. Seule ! Et tu seras témoin.

PITOU : Non.

Il s'éloigne.

SARAH : Tu restes !

PITOU : Non.

SARAH : Où vas-tu ?

PITOU : Je vais chercher vos médicaments.

Il sort en courant.

SARAH : *(d'une voix tonnante)* Lâche ! *(Elle frissonne et cherche autour d'elle quelque chose pour passer sa colère. Elle saisit le dossier bleu et jette les feuilles, les froissant, les piétinant, superbe, violente, échevelée, retrouvant ses gestes de fureur qui ont fasciné les foules. Soudain elle s'arrête et frissonne.)* Pitou ?

La douleur lui fait pousser un petit cri. Elle porte une main à son côté droit, l'autre à sa poitrine. Elle se mord les lèvres et essaie de s'éloigner de la table. Deuxième cri de douleur, plus fort cette fois-ci. Elle ferme les yeux, se balance un instant. Soudain, elle s'écroule à terre.

Un temps.

On entend la mer au loin qui se jette sur les rochers. La première lueur de l'aube perce au-dessus de la maison. Quelques instants plus tard, Pitou entre, rhabillé, portant un flacon de comprimés et une carafe d'eau sur un plateau. Il regarde autour de lui et cherche Sarah.

Quand il la retrouve, il est pris de panique. Il se précipite à genoux auprès d'elle.

Pitou : Madame ?

Il lui touche le visage et retire sa main, horrifié. Il cherche le pouls mais, trop nerveux, ne le trouve pas. Tremblant et suant, il se relève pour chercher du secours.

Sarah : Pitou ? *(Pitou s'immobilise. Il a peur d'avoir mal entendu. Il se retourne et la regarde. Elle ne bouge pas. Elle garde les yeux fermés.)* Pitou ?

Soufflant de soulagement, Pitou tombe à genoux auprès d'elle.

Pitou : Madame. *(Il lui malaxe les deux mains.)* Pardonnez-moi, je suis ridicule, Madame. J'ai cru un instant que vous étiez…

Sarah : Chut… je sais ce que vous avez cru.

Elle ouvre les yeux et lui sourit. Incapable de sortir un mot de plus, Pitou aide Sarah à se mettre debout. Avec soin, il la mène à sa chaise. Leurs respirations sont difficiles à tous deux. Pitou la cale dans ses coussins et ajuste avec précaution ses vêtements.

Sarah : Est-ce que j'ai été absente longtemps ?

Pitou : Oui. Non. Je ne sais pas. Mon Dieu, comment ai-je pu vous laisser seule ? Et comment vais-je expliquer ça à monsieur Maurice ? Je suis responsable de vous.

Sarah : Personne n'est responsable de moi. Plus à mon âge.

Il essaie de répondre à son sourire.

Sarah : C'est merveilleux. Partir puis revenir. Plonger dans l'obscurité et remonter à la lumière. Je n'ai jamais eu aussi peur. Mais cela valait le coup, Pitou. J'ai froid.

Pitou cherche autour de lui et ramène une grosse fourrure dont il emmitoufle Sarah.

Sarah : Cet ours, c'est moi qui l'ai tiré, savez-vous ?

Pitou : Je sais. *(Un temps.)* Et le crocodile empaillé du salon ?

Sarah : Aussi. À Paris.

Pitou : À Paris ? Il y a des crocodiles à Paris ?

Sarah : Plus qu'on ne pense…

Pitou : Pourquoi l'avoir gardé entier ? Vous qui aimez tant les sacs et les chaussures, vous auriez pu le découper.

Sarah : Hors de question. Valeur sentimentale. J'avais un petit chien, Minuccio, que j'adorais, lorsque j'ai adopté Dorabelle.

Pitou : Dorabelle ?

Sarah : Mon crocodile.

Pitou : Il existe des crocodiles femelles ?

Sarah : Plus qu'on ne pense… Dorabelle ne faisait que vingt centimètres et barbotait très gentiment dans l'une des baignoires. Puis elle a grandi, ça lui a changé le caractère, elle est devenue moins aimable et elle a fini par gober Minuccio.

Pitou : Non ?

Sarah : Alors vous comprenez, j'ai abattu le crocodile, je l'ai fait empaillé et s'il trône dans le salon, c'est parce qu'il est le tombeau de mon chien.

Pitou : *(convaincu)* Évidemment.

Sarah regarde la terrasse jonchée de feuilles.

Sarah : J'ai mis un peu de désordre, non ?

Pitou : Un peu.

Sarah : Je suis désolée.

Pitou : Je vais chercher le docteur Marot.

Sarah : Un cognac me ferait plus d'effet.

Pitou : Un cognac ? À cette heure ?

Sarah : Je ne divise plus la vie en heures, seulement en siècles. Au dix-neuvième siècle, j'étais sobre. Au vingtième, je sirote.

Pitou : Puis-je vous suggérer plutôt un vin cuit avec vos comprimés ?

Sarah : Cognac, Pitou.

Pitou : Tout de suite. *(Il va à la table roulante et verse un tout petit cognac.)* Rien de pire qu'un cognac sur un estomac vide. Ma mère disait toujours à mon père : « Si tu veux te tuer, pourquoi ne pas prendre directement de l'arsenic. »

Il apporte à Sarah le cognac et une poignée de comprimés. Elle jette ces derniers et boit avec volupté une gorgée de cognac.

Sarah : Votre mère était idiote, Pitou.

Pitou hausse les épaules et éteint la lampe-tempête car il fait jour.

Sarah : Maintenant, il y a quelque chose que je dois dire.

Pitou : Je vous écoute, Madame.

Sarah : Non, pas à vous. Il n'y a qu'une seule créature sur terre capable de comprendre ce que je vais dire et c'est à elle que je voudrais parler.

Pitou : Qui est-ce, madame ?

Sarah prend le temps de savourer une nouvelle gorgée pour transpercer Pitou du regard.

SARAH : Oscar Wilde.

PITOU : Oh non, Madame. S'il vous plaît.

SARAH : Vous m'avez pourtant reproché de ne jamais vous proposer des rôles d'hommes.

PITOU : Il y a homme et homme, Madame. Je préfère encore incarner une femme qu'un Oscar Wilde.

SARAH : Mon Dieu, s'il t'entendait.

PITOU : Oscar Wilde est mort, Madame.

SARAH : Mort, Oscar ? Sûrement pas.

PITOU : Les journaux l'ont écrit, Madame.

SARAH : Ragots. Médisances.

PITOU : Je me souviens même que Madame a pleuré.

SARAH : C'est vrai. Il avait écrit sa *Salomé* pour moi. En français. Si on lève la censure, je la jouerai bien d'ailleurs, cette Salomé, mais une Salomé cul-de-jatte qui se fait servir la tête de Jean-Baptiste sur un plat d'argent, ça permettrait à George Bernard Shaw de dire que c'est une pièce de garçon boucher. Bref, Pitou, non seulement tu dis du mal d'un poète, mais aussi d'un mort. Deux péchés capitaux.

PITOU : Sûrement pas aussi capitaux que ceux auxquels Oscar Wilde s'adonnait.

SARAH : Pitou !

PITOU : C'était aussi dans les journaux.

SARAH : Ne me parlez pas des journaux. Ils racontaient que j'avais des rapports amoureux avec Suzy, ma tigresse ! Pauvre Suzy, comme si une chose comme ça avec moi pouvait une seconde l'intéresser. N'oublie pas qu'ils ont aussi prétendu que je couchais toute nue dans un cercueil en acajou, et même pas toute seule.

PITOU : Mais vous l'avez fait, Madame !

SARAH : Non.

PITOU : Si. Vous me l'avez raconté vous-même.

SARAH : Je n'ai jamais dit « acajou », j'ai horreur de l'acajou, c'était un cercueil en bois de rose. *(Un temps.)* La dernière fois que j'ai vu Oscar Wilde, il se trouvait sur une plage déserte, face à la Méditerranée. L'endroit parfait pour parler de choses importantes. *(Elle repousse la fourrure et se lève.)* Je me suis approchée doucement. Il était allongé sur une chaise longue. *(Elle désigne un fauteuil à Pitou.)* Assis.

Pitou soupire et s'exécute.

Sarah : Il ne s'attendait pas à me voir. Son regard ne quittait pas la jeunesse provençale qui s'ébrouait dans les vagues.

Pitou : Je suppose que la jeunesse était essentiellement masculine.

Sarah : Quelle différence cela fait-il ?

Pitou : Pour monsieur Wilde une différence considérable.

Sarah : Vieux et malade, Oscar était venu à Saint-Tropez pour réchauffer ce corps usé qui avait fait scandale et échapper à ses créanciers. *(Sarah dirige son attention vers les baigneurs et les vagues. Pitou aussi. Puis Sarah se baisse pour récupérer son ombrelle avec grâce et la tient au-dessus de sa tête. Elle tape doucement Pitou sur l'épaule.)* Bonsoir Oscar.

Pitou se retourne et sourit. Il va parler comme Oscar Wilde, d'une voix douce et épuisée qui ressemble beaucoup à sa propre voix.

Pitou/Oscar : My dear Sarah ! Sarah la Divine ! Vous êtes la dernière personne sur terre que je m'attendais à rencontrer.

Sarah : Vous savez bien que j'adore surprendre le monde.

Pitou/Oscar : Nous deux, nous avons fait cela toute notre vie.

Sarah : Oui.

Elle s'assied près de lui afin de l'abriter sous son ombrelle.

Sarah : Protégez donc votre peau. Le soleil la tache.

Pitou/Oscar : Ma peau ? Pourquoi faire ? La peau d'un écrivain, c'est son style et je n'écris plus. *(Il la regarde, sincère, autant Pitou qu'Oscar.)* Promettez-moi de ne pas mourir, Sarah, jamais.

Sarah : C'est une idée à laquelle je vais réfléchir.

Pitou/Oscar : Imaginez la nouvelle : Sarah Bernhardt et Oscar Wilde vous annoncent qu'ils ont finalement décidé de ne pas mourir. Voilà du fort ! Voilà de l'inattendu !

Sarah : Oui. Et ça pourrait en attrister plus d'un…

Ils rient tous les deux.

Sarah : Comment était-ce, en prison ?

Pitou/Oscar : La chambre ? Quelconque. La nourriture ? Quelconque. Le personnel ? Quelconque. Il n'y avait que moi qui étais chic.

Sarah : Est-ce que ce fut horrible ?

Pitou/Oscar : Horrible ? Ennuyeux surtout. Il paraît que c'était pour mon bien, comme tout ce qui est ennuyeux.

SARAH : Lorsqu'on m'a appris qu'on vous avait enfermé, j'ai pleuré pour vous.

PITOU/OSCAR : Vraiment ? La Divine Sarah a pleuré pour moi ? Alors mes juges avaient raison : cela valait la peine.

Elle sourit, les larmes aux yeux.

SARAH : Oscar, je dois vous dire quelque chose que vous seul pourrez comprendre.

PITOU/OSCAR : Je vous écoute.

SARAH : Le dix-neuvième siècle, Oscar…

PITOU/OSCAR : Oui ?

SARAH : Les gens qui nous succéderont ne comprendront rien au dix-neuvième siècle. Ils ne pourront pas imaginer notre joyeuse ignorance. Ni notre égoïsme tout aussi joyeux.

PITOU/OSCAR : Aujourd'hui, ils se bourrent d'informations sans importance, ils lisent les journaux plutôt que les poètes, ils se préoccupent de l'état du monde, de la planète, ils cherchent des solutions définitives.

SARAH : Sont-ils moins égoïstes ?

PITOU/OSCAR : Non, Sarah, ils sont simplement sur leurs gardes, ils ont l'égoïsme inquiet, triste, replié, protecteur.

SARAH : Vous souvenez-vous ? La lueur des bougies. L'intimité. Le caviar qui sort du ventre du poisson. Les vêtements inutiles. Les chansons qui demandent des hommes pour les chanter. Les voyages qui sentent la sueur, le cuir et le crottin. Les maisons froides sauf autour du foyer. Nous sommes les derniers romantiques, Oscar, les survivants. Victor Hugo est mort. Et Napoléon. Tous les Napoléon. Et Byron, Garibaldi, Robert Lee.

PITOU/OSCAR : Les gens d'aujourd'hui sont tellement soucieux de la paix, de la santé, de la rationalité. Leurs grandes idées étouffent les petits bonheurs.

SARAH : Oui ! Ils sont devenus tellement…

PITOU/OSCAR : … démocratiques…

SARAH : C'est rasant. C'est étouffant. Nous n'étions pas comme cela, n'est-ce pas, Oscar ?

PITOU/OSCAR : Non, nous n'avons jamais essayé de nous apaiser. Nous nous sommes plutôt exacerbés. Mais c'est peut-être un grand défaut, Sarah, un péché capital, l'excès. Notre existence n'a rien changé au monde. Il n'est pas devenu meilleur.

Sarah : Meilleur, non. Mais là où vous parliez, là où je jouais, il était plus grand, plus excitant, j'en suis certaine.

Pitou/Oscar : Sans doute.

Sarah : Notre dix-neuvième siecle, c'était un jardin d'Éden, Oscar, une forêt sauvage, innocente, où tout était possible. Aujourd'hui, ils ont découvert que le soleil est en train de se consumer lentement, douloureusement et que, lui aussi, il deviendra braise. Quelle barbe ! Ça ne fait pas envie.

Pitou/Oscar : C'est toujours comme ça, ma chère : plus le monde devient infini, plus on s'y sent à l'étroit.

Sarah : Nous, nous avons été des brutes qui avons vécu sans ces connaissances épouvantables. Nous avons été vivants d'une façon primaire, ignare, puissante, emportés par une vie si forte que la mort paraissait irréelle. Est-ce qu'ils nous comprendront ? Est-ce qu'ils vous liront, Oscar ?

Pitou/Oscar : Ils auraient sacrément tort de ne pas le faire.

Sarah : *(riant)* Écrivez-vous vos *Mémoires* ?

Pitou/Oscar : J'essaie.

Sarah : Moi aussi. Le deuxième volume est assez bien avancé grâce à mon délicieux secrétaire que j'aime tendrement…

Pitou sourit de contentement.

Sarah : Un petit chauve pathétique qui ressemble à une chèvre en colère. *(Pitou le prend quand même comme un compliment. Sarah se lève.)* Voyez comme j'étais sotte, Oscar, je me croyais immortelle.

Pitou/Oscar : Mais vous l'êtes, ma chère. Non, mieux : vous le deviendrez.

Sarah : Au revoir, Oscar. Ne restez pas trop longtemps au soleil. Tous les gens qui y passent des heures deviennent des idiots.

Pitou/Oscar : Ne me tentez pas. *(Un temps.)* J'espère que quelqu'un viendra me chercher quand il sera temps enfin de dormir !

Sarah se retourne et s'éloigne.

Pitou/Oscar : Un mot encore, Sarah. Si vous vous décidiez quand même à mourir, mourez en scène. C'est votre champ de bataille.

Sarah : Comment faire, Oscar ? Je ne peux même plus y monter.

Pitou/Oscar : *(montrant le monde autour de lui)* Ne vous inquiétez pas, la scène vous suit partout, vous ne l'avez jamais quittée.

Elle ferme son ombrelle. Un temps.

Sarah : *(criant)* Pitou !

PITOU/OSCAR : Qu'y-a-t-il, ma chère ?

SARAH : Le soleil se lève.

PITOU : C'est une habitude qu'il a le matin, Madame.

SARAH : Je sens la mer. Aujourd'hui, je vais montrer à Maurice et à ma petite-fille quels rochers il faut descendre pour trouver les grosses crevettes. Nous sommes au mois d'août, Pitou, et une journée d'août n'a pas de fin. Je trouve un deuxième souffle. Je revis.

PITOU : *(ému et horrifié)* Vraiment ?

SARAH : Le soleil est revenu, comme toujours. Le vieux Pierrot aussi est revenu du pays de la Mort.

PITOU : Sans regrets, cette fois-ci, j'espère ?

SARAH : « Regrets ». Un mot que je ne connais pas. En plus, comment parviendriez-vous à le classer à la lettre *P* ?

Pitou sourit. Elle ferme sa boîte de maquillage et finit son cognac.

SARAH : Dans le dernier tiroir de mon bureau, vous trouverez le manuscrit d'une nouvelle pièce. Un jeune poète me l'a envoyée l'hiver dernier et je l'avais rangée par découragement. Je me sens maintenant capable de la jouer. *(Pitou la dévisage.)* Une pièce de toute beauté, Pitou : La scène d'ouverture est exquise. Espagne. Quinzième siècle. Une jeune fille mauresque – mon rôle bien sûr – descend les rives du Guadalquivir à l'heure la plus torride de l'été. Une fois entrée dans l'eau fraîche du torrent, elle se tourne vers le soleil et dit en tremblant : « On prétend qu'au paradis il y a une herbe qui guérit toutes les blessures, même celle de l'amour. Le paradis est loin, je ne suis pas patiente, ni sûre d'y arriver jamais, alors, je te l'annonce, mon Dieu, je prendrai tous les risques. Je ne sais pas si la vie est juste, ou sensée, ou longue, mais j'ai vingt ans et je veux qu'elle soit belle. » Charmant, non ?

PITOU : Charmant. Mais croyez-vous que le rôle soit adéquat, dans votre état ?

SARAH : Quel état ? Retrouvez le manuscrit et envoyez une lettre au jeune poète. Demandez-lui d'ajuster légèrement l'âge de mon personnage.

Pitou va pour sortir, peu convaincu. Il s'arrête pour risquer une ultime tentative.

PITOU : Vous connaissez les poètes, Madame, particulièrement les poètes débutants. Je doute fort qu'il accepte, même pour vous, de vieillir son héroïne.

SARAH : De quoi parlez-vous, Pitou ? Je veux qu'il la rende plus jeune.

Elle ne le regarde pas. Il la fixe un long temps puis sourit : elle l'étonnera toujours. Il retourne dans la maison.

Un temps.

Sarah se lève, d'abord doucement, avec précaution, puis devient soudain, sans difficulté, une jeune fille gracieuse et vive. Elle s'est transformée en l'héroïne mauresque qui entre dans le Guadalquivir et regarde la lumière du matin.

SARAH : *(d'une voix enjouée)* « On prétend qu'au paradis il y a une herbe qui guérit toutes les blessures, même celle de l'amour. Le paradis est loin, je ne suis pas patiente, ni sûre d'y arriver jamais, alors, je te l'annonce, mon Dieu, je prendrai tous les risques. Je ne sais pas si la vie est juste, ou sensée, ou longue, mais j'ai quinze ans et je veux qu'elle soit belle. »

Jeune, superbe, sans crainte, elle sourit à la lumière du soleil.

Rideau.

Autour de *Sarah*

Robert Hirsch, Bernard Murat et Fanny Ardant en répétition.
(Photo Brigitte Enguérand)

L'auteur, John Murrell

© Drama

Né aux États-Unis le 5 octobre 1945, John Murrell est l'un des auteurs dramatiques canadiens les plus joués.

Il fait ses études à l'université de Calgary au Canada où il enseigne ensuite pendant cinq ans. C'est à cette époque qu'il commence à écrire pour le théâtre afin de monter des pièces avec ses élèves. Il produit alors en 1968 sa première pièce *Haydn's Head*. Il renonce au professorat en 1970 pour se consacrer entièrement au théâtre.

Parmi ses pièces les plus connues, on trouve *En attendant le défilé* (sa pièce la plus jouée), *Un ouest plus lointain*, *Démocratie*, *Un voisin lointain*, *Quand ils cessent de danser*, *Mémoires*, *Mort à la Nouvelle-Orléans* (sa pièce la plus récente), et même une farce sur le cinéma X et une satire sur la psychothérapie de groupe.

Il est par ailleurs le traducteur et l'adaptateur de trois grandes pièces de Tchekhov (*La Mouette*, *Oncle Vania* et *La Cerisaie*), d'*Œdipe Roi* de Sophocle, de *Cyrano de Bergerac* d'Edmond Rostand, de *La Mandragore* de Machiavel et de *Bajazet* de Racine.

En 1978, John Murrell est nommé directeur adjoint du festival de Stratford.

Mémoires, pièce écrite en 1974, a été produite au festival de l'Ontario en 1977 avec la célèbre actrice irlandaise Siobhan Mc Kenna. En 1981, Georges Wilson en assure la mise en scène, sous le titre *Sarah ou le cri de la langouste*, dans sa propre adaptation à Rome avec Léa Massari et Gaston Moschin. C'est aussi Georges Wilson qui réalise la création française de la pièce en 1982 au Théâtre de l'Œuvre à Paris avec Delphine Seyrig et Georges Wilson.

Cette pièce est régulièrement jouée dans le monde entier.

John Murrell vit toujours à Calgary.

L'adaptateur
La belle santé d'Éric-Emmanuel Schmitt

Quarante ans et quelques et déjà plusieurs vies. Éric-Emmanuel Schmitt tient du chat dont il a la souplesse royale. Plusieurs vies mais qui se déploieraient simultanément. On le croit en Irlande, il est au Brésil. On espère le saisir à Paris, il est au Mexique. Un soir à Londres, un autre à New York. On le dit auteur dramatique et il donne en rafale des romans singuliers et profonds. Il va, vole, court, virevolte et cet homme au physique athlétique semble avoir chaussé les sandales ailées d'un Mercure rayonnant et amusé.

La musique avant toute chose...

Son secret ? La musique sans doute. C'est elle qui fonde sa relation au monde, c'est elle qui nimbe ses travaux et ses jours. Secrètement. La musique ou la joie et la rigueur, la musique ou l'impalpable. Il a d'ailleurs donné une excellente version française des *Noces de Figaro* de Mozart ainsi que de *Don Giovanni* et sa pièce *Le Visiteur* est devenue un opéra sur une musique de Stavros Xarhakos. Il dit d'ailleurs, et on le croit, qu'il donnerait tout ce qu'il a écrit pour composer une valse viennoise...

© Marc Enguérand

Cet hyper-doué qui a intégré sans problème Normale Supérieure a passé brillamment une agrégation de philosophie, a soutenu une thèse sur Diderot, doit sans doute beaucoup à la discipline de la musique qu'il a connue très tôt, à peine à l'âge de raison, au conservatoire de Lyon. Ce sujet à l'ample érudition n'est pas du genre à en faire dissertation. Mais la musique lui est consubstantielle.

Elle doit l'aider, le soutenir, accompagner ses humeurs. Il y a beaucoup de gaieté en lui. Une force de vie formidable. Mais il y a aussi, comme en toute âme bien née, comme en tout être qui palpite au rythme d'interrogations qui sont sans réponse, une mélancolie certaine, parfois.

S'il est grave, Éric-Emmanuel Schmitt déteste l'esprit de sérieux. S'il est sûr de ses talents, il doute pourtant toujours lorsqu'il faut affronter la feuille blanche et dompter son imagination fertile.

Au commencement de son parcours, veillait une fée…

Au commencement de son parcours, veillait une fée, une actrice qui tint à être sa marraine, à l'aider, à convaincre les directeurs de théâtre. Une fée belle comme une déesse, Edwige Feuillère.

Éric-Emmanuel Schmitt ne manque jamais de le rappeler. Elle comprit quel chemin pouvait s'ouvrir pour celui qui était alors maître de conférence à l'Université de Chambéry et avait écrit sa première pièce. Depuis, c'est un feu d'artifice : *La Nuit de Valognes*, *Le Visiteur*, *Golden Joe*, *Le Libertin*, *Frédérick ou le Boulevard du crime*, *L'Hôtel des deux mondes*, *Variations énigmatiques*, *Milarepa*, *Monsieur Ibrahim et les Fleurs du Coran*. Est-ce dans cet ordre que ces textes nous ont été révélés ? Peu importe.

Schmitt écrit pour le théâtre avec un sens aigü du développement des intrigues, avec un don sûr des personnages et un talent pour les répliques bien ciselées mais claires qui éclaboussent brillamment sans brouiller le sens. On l'a dit, il a donné quelques étonnants romans : *La Secte des Égoïstes*, *L'Évangile selon Pilate*, *La Part de l'Autre*. Et l'on annonce pour cette rentrée *Lorsque j'étais une œuvre d'art*.

Un goût certain de la liberté

Tout cela en quinze ans. Même pas. Quinze ans à jouer avec des figures du réel (Freud, Hitler, Jésus) ou de la littérature (Hamlet, Don Juan), ou en proposant ses propres personnages. Quinze ans à aller du réel à la fiction, à abattre les murs invisibles qui séparent le vrai du faux... Aujourd'hui, il signe l'adaptation de la pièce du Canadien John Murrell. Adapter : un travail qu'il aime particulièrement, un travail qui exige une empathie et une distance, une fidélité et un goût certain de la liberté.

Avec *Sarah,* il renouvelle cette pièce créée en France en 1981 dans une adaptation et une mise en scène de Georges Wilson qui jouait auprès de Delphine Seyrig. La pièce avait été donnée sous le titre étrange de *Sarah et le cri de la langouste...* La manière Schmitt éclate dans cette traduction à laquelle il donne une alacrité certaine. Il écrit sans gras. C'est vif, drôle, efficace. Été 1922. Belle-Île. Sarah revoit sa vie, vie d'aventures et de fantaisie, vie audacieuse. Face à elle, Georges Pitou, son secrétaire. Qui se prête au jeu des personnages que Sarah veut retrouver. Une superbe situation dramatique, aussi divertissante qu'émouvante et qui convient parfaitement à l'esprit enjoué d'Éric-Emmanuel Schmitt dont on devine bien combien il admire Sarah, combien il comprend la docilité et la liberté de Pitou... C'est jubilatoire, élégant, délicieux.

Armelle HÉLIOT

Le metteur en scène
Bernard Murat, l'ami des acteurs

© Marc Enguérand

« Je n'ai jamais fait deux mises en scène en même temps, j'ai toujours enchaîné, jamais chevauché ! », lance Bernard Murat à l'imprudent qui, sur la foi d'une rumeur trop répandue, lui demande s'il persévère dans les réalisations simultanées. « Il faut être très organisé, je le suis car je n'aime pas le stress », dit-il dans son bureau vaste et net du théâtre Édouard VII, en détaillant un programme qui, comme par le passé, reste copieux : mise en scène de *Sarah* qui s'achève début septembre (Édouard VII), mise en scène de *Proof* de David Auburn courant septembre (Mathurins), mise en scène de *Chacun sa vérité* de Pirandello novembre-décembre (Cado d'Orléans, Édouard VII). Bonhomie de velours et mental de fer, tel est Murat qui a dirigé *Sarah* selon la meilleure des formules, en deux temps : trois semaines en juin puis cinq semaines dans le plein été.

Bonhomie de velours et mental de fer

Du temps a passé depuis que, sous son regard et celui de son complice et co-directeur Jean-Louis Livi, Fanny Ardant et Robert Hirsch ont fait la première lecture de *Sarah*. À l'époque, c'était juste un essai. La version d'Éric-Emmanuel Schmitt n'existait pas, les deux acteurs se servaient de la version précédente – celle de Georges Wilson. L'essai fut bon ! Par chance, la plupart des personnes impliquées n'avaient pas vu la mise en scène de la création, au Théâtre de l'Œuvre, en 1982. L'équipe allait pouvoir inventer avec plus de liberté. Seul Murat avait vu Delphine Seyrig et Georges

Wilson (« Très beau, resté dans beaucoup de mémoires, donc il faut faire autre chose », dit-il). Le cap pouvait être mis sur une autre aventure française du texte. Schmitt, qui n'avait pas non plus assisté à la création mais connaissait bien la pièce, accepta de faire une nouvelle traduction, dont John Murrell se montra fort content. Ardant, Hirsch et Sarah Bernhardt pouvaient faire la rentrée 2002 du Théâtre Édouard VII.

« Pour nous, le thème fédérateur n'a pas été la personnalité de Sarah Bernhardt, dit Bernard Murat. C'est plutôt la situation d'une femme qui fut une étoile, ne l'est plus, sait qu'elle va mourir et ne peut le supporter. C'est un astre finissant, et Pitou, son secrétaire, également. Ils vont mourir l'un et l'autre. Voilà un thème métaphysique fort. C'est très intéressant de raconter la mort de cette façon-là. Sarah est vivante et elle n'a jamais été aussi vivante qu'à ce moment-là ! John Murrell a imaginé des scènes très belles. Je pense particulièrement à celle où Pitou joue les différents personnages de la vie de Sarah pour la pousser à la confession. Quand il incarne sa mère, il lui dit des choses que la mère ne lui a sans doute jamais dites. Sarah devine qu'elle n'a pas sa mère en face d'elle mais elle se livre néanmoins, arrache d'elle des vérités enfouies, comme d'avoir fait l'objet d'humiliations antisémites, même de la part de sa propre mère. Ce n'est pas de la psychanalyse, ça y ressemble mais c'est, théâtralement, très original. Je pense aussi à la scène du dialogue avec le soleil ou à la scène sur Oscar Wilde, qui lui a dit : " Il faut ouvrir les yeux tout de suite. Si elle ne le fait pas, elle ne les ouvrira plus jamais " ».

La place de l'extravagance

Chemin faisant, Bernard Murat a mieux senti la violence noire de la pièce : « Schmitt a très bien traduit ce qui est comédie nous sommes attachés à cet aspect-là. Mais la pièce se dégage dans son pessimisme. C'est parce que ça va mal que l'on rit sans arrêt ». Il y a retrouvé le climat du théâtre et de la littérature qu'il aime, de ce qu'on appelle la modernité de la fin du XIXᵉ siècle et du premier tiers du XXᵉ siècle : « Sarah Bernhardt, Tristan Bernard, Alphonse Allais, Guitry, Capus – et j'y ajouterais Apollinaire – sont des pessimistes terribles et, à leur façon, des précurseurs du surréalisme. Pour eux, la place de l'artiste était la place de l'extravagance. J'adore cette attitude du créateur homme libre avec son sens de la dérision. C'est ce que j'aime et ce que je retrouve ici ». Il avait fait ses débuts de metteur en scène avec

Tailleur pour dames de Feydeau (pas mal revu et corrigé par Jean Poiret, il est vrai) : la voie du pessimisme gai était trouvée ; il ne l'a guère quittée.

À Édouard VII, le travail est intime, du moins serré. Ils sont trois à cerner l'œuvre, inlassablement, et quatre quand Éric-Emmanuel Schmitt est présent. Murat aime à passer d'une mise en scène qui mobilise beaucoup d'acteurs et de technique (« un mois rien que pour régler un acte de *La Dame de chez Maxim's*, se souvient-il en riant, trente-deux acteurs ! Je n'en aurai que quatorze dans le Pirandello à venir ») à une mise en scène qu'il définit « comme au microscope ». Il se conforte dans son idée que le rôle de Sarah septuagénaire doit être joué par une artiste beaucoup plus jeune : « C'est l'histoire d'une femme en phase finale ; avec une actrice âgée, on perdrait de l'universalité de la situation. Par ailleurs, la pièce exige des acteurs exceptionnels car ce n'est qu'un jeu mais il faut y croire ». Il admire Fanny Ardant, qu'il avait dirigée dans une mémorable *Musica deuxième* de Duras (avec Niels Arestrup) : « Fanny a acquis une maturité extraordinaire, c'est un vrai soldat, jamais fatiguée. Elle associe la technique de l'acteur de théâtre et la qualité de sincérité de l'actrice de cinéma ». Il découvre le travail avec Hirsch, qui ne cesse de l'impressionner : « C'est un génie. D'une invention incroyable ». Il se trouve dans les conditions qu'il affectionne : « C'est une collaboration douce et démocratique. Le théâtre prend, va à son aboutissement quand les acteurs aiment le projet et quand le metteur en scène les aime. Il faut éviter les problèmes psychologiques liés au métier d'acteur, qui est un métier impudique et difficile. Les comédiens doivent être entourés d'une certaine confiance. Lorsqu'il m'est arrivé d'avoir une difficulté avec un acteur – ce qui n'est évidemment pas le cas ici –, je l'ai eue avec l'individu, pas avec l'acteur ».

Un peu héroïque

Et comment va le co-directeur des théâtres Édouard VII et des Mathurins, qu'il a acquis avec Livi, il y a deux ans ? « Un peu héroïque », dit-il, toujours en souriant. Mais la lourdeur de la tâche, qu'il pressentait, n'est en rien imaginaire. Il se félicite de l'aide que les ministères de la Culture et la Ville ont débloquée pour sauver l'aspect patrimonial des théâtres privés et les aider à mettre leur technique aux normes modernes. Cependant, les questions restent multiples, notamment celle de la saison d'été, qui commence tôt : « Faut-il fermer ou ne pas fermer ? J'ai compris qu'il ne fallait pas fermer.

Pourtant, il faudrait qu'on nous aide à accueillir de grands spectacles, sur lesquels nous ne prendrions pas tout en charge. Si on fait Paris-Plage, il n'y a pas de raison de ne pas faire que les théâtres privés restent ouverts ».

Il a plein de projets pour les deux enseignes qui, avec leurs trois salles, travaillent en symbiose : lectures, poétiques, soirées musicales. La première saison de la direction Murat-Livi à Édouard VII s'est bien passée : *La Jalousie* de Guitry avec Michel Piccoli a été un succès (une grande tournée a lieu cet automne). Aux Mathurins, la réouverture en plein été avec le spectacle musical *Le Duel* est aussi un succès. En octobre, lui succèdera *Proof* puis, en janvier, un monologue de Schmitt, *Oscar et la dernière rose,* avec Danielle Darrieux. Dans la petite salle, Élisabeth Amato va faire un show attendu. Les clignotants ne sont pas au rouge. Mais le trac du directeur ne s'éteint jamais.

Gilles COSTAZ

© Brigitte Enguérand

Fanny Ardant et Robert Hirsch en répétition.

Les comédiens
Fanny Ardant : Le théâtre comme un voyage

Le visage de Fanny Ardant s'éclaire de sourires méditatifs et de pensées rêveuses : l'aventure de *Sarah* l'enchante – et la fait renouer avec les angoisses inhérentes au théâtre. Jouer avec Robert Hirsch est un grand moment dans sa carrière : « C'est tout le théâtre français pour moi, l'acteur français par excellence ». Retrouver Bernard Murat, qui l'avait mise en scène face à Niels Arestrup dans *La Musica deuxième* de Duras, est l'occasion de retrouver un accord qu'elle n'a pas oublié : « Il a un immense respect des comédiens. C'est quelqu'un qui ne coupe pas les ailes de l'acteur. Il écoute nos propositions et les englobe dans son point de vue. C'est aussi un metteur en scène concret. J'aime les metteurs en scène qu'on comprend ! Avec lui, les répétitions sont détendues et, pourtant, on ose mille choses. Il m'a fait découvrir des couloirs, des perspectives que je n'avais pas vues à la première lecture du texte ».

Fanny Ardant ne connaissait pas *Sarah*. Elle se souvenait seulement des affiches de *Sarah et le cri de la langouste,* vues dans la rue au temps où Delphine Seyrig et Georges Wilson créèrent la première version française de la pièce. Elle venait de terminer le tournage du film *Callas* de Zeffirelli (sur un scénario du réalisateur et de l'auteur de théâtre Martin Sherman : à ne pas confondre avec la pièce *Master Class*, que jouait Fanny Ardant au théâtre) quand Bernard Murat lui proposa le rôle. Elle lut la nouvelle version française d'Éric-Emmanuel Schmitt et le texte anglais. Elle accepta, à sa façon qui est instinctive : « Les raisons de dire oui sont plus obscures que celles qui vous font dire non. Mais l'on est comme les chiens (précisément, son adorable petit chien blanc ne la quitte pas pendant les répétitions), on a d'abord un sentiment tactile. Quelque chose alors vous dit d'y aller et on y va ».

Elle y est allée ! Elle dit avoir toujours choisi ainsi ses rôles au théâtre : « Je saisis l'offrande. Cela ne veut pas dire que je ne lis pas les pièces qu'on me soumet. Mais il faut que je sente le plaisir de venir tous les soirs jouer quelque chose. Je peux adorer le théâtre de Tchekhov, de Molière ou d'un autre auteur mais penser qu'il n'y a rien pour moi ». Si, elle a rêvé d'un rôle : Blanche Dubois dans *Un Tramway nommé désir,* mais « sans vraiment bouger », ajoute-t-elle en souriant.

© Brigitte Enguérand

Fanny Ardant interprète Maria Callas dans *Master Class* de Terrence McNally, dans la mise en scène de Roman Polanski au Théâtre de la Porte Saint-Martin en 1996.

De ses rôles au théâtre, elle n'a que des bons souvenirs : « Je ne regrette aucune pièce, avec ou sans succès. C'était bien de s'offrir ces plaisirs-là ». Pour *Les Bons Bourgeois,* elle se rappelle qu'elle « aimait beaucoup tous les acteurs » (de Rosy Varte à Bernard Alane) et les alexandrins. Pour *Master Class,* elle se remémore la collaboration idéale avec Polanski et la jubilation d'un théâtre qui fait intervenir la musique.

Aujourd'hui, après Callas, elle incarne une autre diva. Sans la moindre volonté d'identification et de recherche de la conformité historique : « Les grands personnages donnent de l'inspiration aux écrivains, dit-elle. Et aux interprètes ensuite. Mais Sarah Bernhardt est un prétexte. Murrell a imaginé sa Sarah. On ne fait pas un documentaire ou une illustration. C'est exactement la même chose pour le film de Zeffirelli sur Callas. Il ne faut pas se prosterner devant l'idole. Il n'y a non plus rien à raconter sur la réalité. Il faut être même iconoclaste. Le personnage que je joue est « temperamental », comme disent les Anglais, colérique, excessif, impatient. Une emmerdeuse patentée, dit son secrétaire. Mais digne d'amour, parce qu'il y a une tempête à l'intérieur d'elle-même. Il n'y a pas de cruauté chez elle, c'est une attitude, pour moi, liée à la froideur, au calcul. ».

Elle aime peut-être tout autant le rôle de son partenaire car, de Pitou le factotum joué par Hirsch elle dit, là aussi avec un sourire heureux : « C'est un secrétaire, pas un domestique, et un admirateur, comme pouvait l'être l'homme qui partageait la maison de Virginia Woolf. Il est lié à Sarah par le verbe. Il est généreux, enfantin, sent où va Sarah et connaît les erreurs qu'il doit lui éviter. Il a cette qualité qu'ont les hommes, que les femmes ont beaucoup moins et qui est si importante dans la séduction : faire l'idiot. C'est ainsi, en faisant l'idiot, qu'il peut aider Sarah ».

Le théâtre, c'est aussi comme une maladie coloniale

Elle s'aperçoit qu'elle fait son retour au théâtre tous les trois ans, ou à peu près : « « Il faut renouveler son sang en faisant du théâtre, se purifier. Le théâtre, c'est aussi comme une maladie coloniale. On dit qu'on ne reviendra pas. On se croit guéri. Je l'ai dit, que j'arrêtais. Mais la fièvre réapparaît, et l'on revient malgré tout ». Mais son emploi du temps et sa nature la poussent à ne jouer que cent représentations. « Après, quand du temps a passé, reprendre le rôle pour une tournée, oui. C'est peut-être que je ne suis pas une actrice professionnelle. Je joue pour le plaisir ».

À peine a-t-elle dit une nouvelle fois le mot plaisir qu'elle évoque l'anxiété qui se glisse dans ce plaisir, le revers de toute médaille : « Le théâtre est une chose insidieuse. On y pense tout le temps, la nuit, au petit-déjeuner. On se dit qu'on n'y arrivera jamais. Au cinéma, après une journée de tournage, on a des regrets, mais c'est trop tard. Au théâtre, on a l'impression que ce n'est jamais fini, que ce ne sera jamais fini. Callas, dans le film, dit : " Un triomphe, c'est pire qu'un échec ". C'est une phrase que je comprends très bien, parce qu'une soirée réussie, c'est la crainte du lendemain où l'on sera moins bien. Le théâtre, c'est toujours se demander : demain ? ».

L'éphémère du théâtre, Fanny Ardant l'accepte et même l'amplifie. C'est juste une escale, d'une grande importance, dans un lieu où d'autres pièces et d'autres acteurs viendront après les deux interprètes de *Sarah.* D'où une belle formule que tous les comédiens ne lui voleraient pas, car elle n'appartient qu'à elle : « Le théâtre, ce ne sont pas des histoires d'amour ; ce sont des histoires de voyage ».

G. C.

Robert Hirsch : Un « monument » à visiter

Le voilà qui revient sur scène. La dernière fois, c'était il y a presque quatre ans, dans *Le Bel Air de Londres*. Avant, il y avait eu *En attendant Godot*, *Une folie* et *Le Misanthrope* où il jouait Oronte. Quatre pièces en douze ans, on ne peut pas dire qu'il abuse… Avantage du talent qui se fait rare : la prestation est à chaque fois un événement.

Nous le retrouvons aujourd'hui avec Fanny Ardant dans *Sarah*, une pièce de John Murrell que Georges Wilson et Delphine Seyrig avaient créée en 1981 sous le titre *Sarah et le cri de la langouste*. Cette nouvelle adaptation, signée Éric-Emmanuel Schmitt et mise en scène par Bernard Murat, est à l'affiche au Théâtre Édouard VII à partir du 3 septembre.

Histoire d'amour avec la Comédie-Française

Robert Hirsch, on le sait, a quitté la Comédie-Française en 1974, après y avoir connu d'éblouissants triomphes. Mais au fait, pourquoi est-il parti, alors qu'il était la vedette Maison ? S'il dit n'avoir jamais regretté sa décision, le public, lui, a longtemps été attristé de cette désertion. « Pourquoi ? Vingt-cinq ans… », répondait-il laconiquement à l'époque. On peut aussi trouver une explication dans ce qu'écrit Jean Piat, lequel après une longévité similaire dans la Maison de Molière, a pris la même décision : « Pourquoi quitte-t-on la Comédie-Française ? […] Au fond, c'est simple et c'est une histoire d'amour […] parce qu'on ne pouvait plus rester ensemble. Parce qu'on ne sait pas bien vieillir ensemble »[1].

Jean Piat faisait allusion à la brutalité de certaines mises en retraite, mais il est peu probable que Robert Hirsch ait jamais été menacé d'aller s'occuper de ses rosiers. On peut penser qu'il voulait tout simplement poursuivre sa carrière dans les théâtres privés et jouer plus souvent les auteurs contemporains. Ce qu'il a fait. « Et je me suis rétamé… », se souvient-il. Coup sur coup : deux échecs. Le succès devenait brusquement une donnée mystérieuse. C'est qu'en dehors de la Comédie-Française, on ne le connaissait pas – ou pas assez. Le cinéma, il en avait peu fait. La télévision… Jacques Charon, quelques mois plus tard, notera dans son livre de souvenirs : « Faire de la télé est pompant. Mais utile. Et même indispensable […] Entrer à la Comédie-Française

---

1. Jean Piat, *Les Plumes des paons*, éditions Plon.

De gauche à droite : Nicolas Vaude, Marina Hands, Henri Poirier, Robert Hirsch et Frédérique Tirmont dans *Le Bel Air de Londres* de Dion Boucicault, mise en scène de Adrian Brine au Théâtre de la Porte Saint-Martin en 1998.

en se disant : " Me voilà casé pour vingt ans ", c'est mortel. Quand vous en sortez vingt ans plus tard, vous êtes toujours un inconnu pour vingt millions de Français, qui sont téléspectateurs, et rien d'autre. Inconnu et fauché ! »[2].

Hasard ou « message bien reçu » ? Robert Hirsch tourne alors quatre dramatiques pour la télévision inspirées des grands rôles de mélos tenus au XIX siècle par Frédérick Lemaître. Le public suit, le moteur est reparti. Mais, au fil des années, un même reproche revient régulièrement : celui de ne plus interpréter Molière, Racine, Shakespeare – ou encore Feydeau, comme si la puissance de ses moyens faisait éclater les coutures de textes quelquefois trop étroits. On peut admettre que s'il a quitté la Comédie-Française où il a interprété pendant vingt-cinq ans ces auteurs-là, ce n'est pas pour rempiler sur le boulevard. D'un autre côté, on comprend la curiosité et le désir de tous ceux qui – trop jeunes ou pas encore nés à cette époque – ne l'ont pas vu dans ce répertoire. Pour eux, le nom de Robert Hirsch s'ajoute aux grandes réputations de comédiens mythiques : Mounet-Sully, Talma, Sarah Bernhardt… Dans

2. Jacques Charon, *Moi, un Comédien*, éditions Albin Michel.

certains cas, Hirsch est inégalable. D'autres comédiens peuvent être excellents dans des rôles qu'il a également joués ; mais dans le burlesque (« d'un comique extravagant et déroutant », définition qui semble avoir été écrite pour lui), personne ne peut rivaliser : il est le seul. Parfois, à la télévision, on repasse quelques extraits de ses grands moments : *Les Adieux de la vieille Sociétaire*, *Le Lac des cygnes* au gala de l'Union, *Le Récital de la chanteuse wagnérienne*… Par chance, un enregistrement du *Fil à la patte* a été réalisé en public, avec ce Bouzin dont le nom est désormais indissociable de celui de Robert Hirsch.

La douleur comme ressort comique

Sa botte secrète, c'est la douleur comme ressort comique. La farce qui bascule dans le pathétique. Bien sûr, on peut objecter que le créneau a déjà été exploité par Chaplin. Mais Chaplin (pardon à son génie) tirait souvent la situation vers le larmoyant. Quand Hirsch est en état de détresse, ce n'est pas la larme qui jaillit chez le spectateur, mais le rire, comme pour exorciser la bête : l'émotion est de meilleure qualité.

Lorsque Robert Hirsch est interviewé à la télévision, on est surpris par son attitude de collégien bien élevé, pull over et petit col, modeste, propret, sage, poli. « Si j'ai un intérêt quelconque, c'est sur scène », aime-t-il répéter. Et puis, vous donnez un texte à cet homme-là, vous l'installez sur un plateau avec un projecteur, et vous avez devant les yeux quelque chose que vous n'avez jamais vu et ne reverrez jamais. La surprise est à chaque fois entière.

« Que faites-vous dans le civil, quand vous n'êtes pas sur scène ? lui demandait-on un jour.

— Je vieillis.

— Comment ça ?

— Je me sens inutile. »[3]

Après une telle carrière, on pourrait penser que le comédien Robert Hirsch est à l'abri des incertitudes. Pourtant, lorsqu'il a reçu un Molière pour *Le Bel Air de Londres*, il a répété plusieurs fois avec gratitude : « Ça me rassure… ça me rassure… »

L'expression n'a l'air de rien, elle en dit pourtant long sur l'humilité d'un acteur qu'on a souvent accusé de mégalomanie.

Nicole MANUELLO

3. *Le Figaro-Magazine*, 9 septembre 1989.

Sarah l'indomptable

« Je ne veux pas être actrice ! » Ce cri que Sarah Bernhardt pousse à quinze ans quand l'ami et amant de sa mère le duc de Morny lui conseille le Conservatoire, ne durera pas longtemps. Jusqu'au bout, vieillie, fatiguée, amputée d'une jambe et abîmée par la maladie, Sarah Rosine Bernard (1844-1923) dite Sarah Bernhardt montera et remontera sur scène. Actrice, Sarah Bernhardt en fera même l'œuvre d'une vie. À la ville comme à la scène.

« Reine de l'attitude et Princesse des gestes »

« Reine de l'attitude et Princesse des gestes » déclame Edmond Rostand le 9 décembre 1896 à l'occasion de la journée Sarah Bernhardt, organisée par ses amis qui trouvent que la France mésestime l'importance de l'actrice. Sarah est une star à l'étranger, adulée et courtisée. Ses nombreuses et célèbres tournées l'ont rendue célèbre en Amérique comme en Russie, en Australie comme à Sao Paulo où les journaux racontent que, pour aller au théâtre, elle doit fouler un tapis d'admirateurs. Sa vie tient du romanesque, elle ne se privera pas d'en faire d'ailleurs le récit. Sarah Bernhardt a un sens inné du spectacle, de la mise en scène, et a su théâtraliser toute son existence. « Je ne suis pas sûr que Madame Sarah Bernhardt, au point où elle en est, soit encore capable de trouver l'intonation juste pour dire : « Bonjour, monsieur, comment allez-vous », ironise son contemporain le poète et critique Jules Lemaître. On sourit aujourd'hui aux quelques enregistrements sonores qui nous sont parvenus de cette fameuse « Voix d'or » comme l'avait surnommée Victor Hugo que Sarah charmera par son interprétation de la Reine dans *Ruy Blas*. Son timbre est agréable et harmonieux, doux et lancinant et contribue très largement au fort pouvoir de séduction qui se dégage de cette femme à l'étonnante chevelure rousse et frisée et au corps d'une finesse légendaire.

Une infatigable actrice

« Plutôt mourir que de ne pas devenir la plus grande actrice du monde » confie-t-elle à George Sand. Sarah Bernhardt a de l'ambition, du caractère et une vitalité qui continue d'étonner. Cette force de vie, cette énergie fait d'elle non seulement une infatigable actrice, mais aussi une directrice de théâtre

Sarah Bernhardt photographiée par Nadar dans *Macbeth* de William Shakespeare, adaptation de Jean Richepin au Théâtre de la Porte Saint-Martin.

(elle dirigera successivement le Théâtre de l'Ambigu, puis celui de la Renaissance et enfin en 1898 le théâtre qui portera son nom, devenu, aujourd'hui, « Théâtre de la Ville ». Sarah est également metteur en scène même si officiellement la fonction n'existe pas encore. Au théâtre, elle contrôle tout. Dans la vie, son nom s'affiche partout et devient même lors de ses tournées en Amérique, objet de marketing. On trouve des cigares Sarah Bernhardt, des savons, des gants, de la poudre de riz et même des pipes ! Cocteau inventera pour elle l'expression « monstre sacré ». Mais elle est avant tout Sarah Bernhardt, son plus grand rôle qu'elle interprètera jusqu'à son denier souffle.

Mise en scène de la mort

La mort, sa propre mort comme celles de ses nombreux personnages la fascine. Le 11 septembre 1862, elle fait ses débuts au Français. Parce que les critiques ne lui sont pas favorables, elle tente de s'empoisonner avec de l'encre rouge. Plus tard, à l'Odéon, le théâtre qui la voit triompher pour la première fois en 1869 dans le rôle de Zanetto, jeune troubadour imaginé par le poète François Coppée, elle met en scène sa propre mort, allongée, inanimée, cierges allumés. Au public on annonce qu'elle n'est pas en mesure d'assurer le spectacle. Elle se réveille peu après en riant aux nez de tous ses partenaires. Et que dire du fameux cercueil tendu de satin blanc dans lequel elle sera inhumée le 29 mars 1923 et qui l'accompagnait dans la vie quotidienne. Fantasque Sarah qui disait apprendre ses rôles couchée dans ce lit trop étroit ! Combien de fois est-elle morte sur scène ? En soixante années de théâtre et plus de cent quarante rôles, elle développe une très nette préférence pour les héroïnes aux destins tragiques. Marguerite Gautier dans *La Dame aux camélias,* rôle qu'elle reprend dès que son théâtre rencontre des difficultés financières, mais aussi Adrienne Lecouvreur, qu'elle sait faire mourir chaque fois de façon différente, ou encore L'Aiglon, jeune éphèbe phtisique de 20 ans qui s'éteindra avec elle plus de mille fois sur scène. Pour Phèdre, personnage qui la suivra pendant près de quarante ans, elle s'inspire des hoquets d'agonie de sa jeune sœur Regina, morte à dix-huit ans. « Je souffrais, je pleurais, je criais et cela était vrai » confie-t-elle dans ses mémoires. Elle joue jusqu'au bout de ses forces, « sans distanciation » aurait dit Brecht. Excessive dans la vie réelle comme dans la fiction.

Poétique du pli et du repli

Ni Ibsen ni Strindberg ni Tchekhov. La théâtralisation de ses gestes, voire l'exaltation de tout son corps, ce visage tendu, presque expressionniste, s'accordent mal avec le naturalisme émergeant. Sarah pose pour les Nadar père et fils. Ces centaines de photographies (qu'elle ne se privait pas de retoucher) témoignent de tous ses plus grands rôles. Elle est, telle une héroïne de cinéma muet, plongée dans un décor de velours et de toiles peintes. Il est impossible d'imaginer son jeu scénique autrement qu'en caricature d'un théâtre d'un autre âge. Mais Tosca, Théodora, Fédora, ou Gismonda, toutes ces femmes que Victorien Sardou a imaginées pour elle s'offrent à nous dans la magnificence de leurs costumes. L'image de Sarah Bernhardt est indissociable de cette poétique du pli et du repli, de ces ceintures de métal travaillé dont elle souligne ses hanches. En voyage, ses quelque quarante malles pleines d'habits précèdent son succès. Elle est l'incarnation du chic parisien. Sarah aime à se transformer et a compris très vite que le costume pouvait être un véritable partenaire de jeu. Par deux fois elle monte *Hamlet*. En 1886 elle joue Ophélie et c'est un échec. Treize ans plus tard, elle se distribue dans le rôle titre. Sarah part en tournée à Londres avec la pièce. Elle surprend, elle désarme les critiques par son audace ou son inconscience. C'est un succès. Elle n'en est pas à son premier ni à son dernier travestissement. À 24 ans, dans la pièce de Coppée, *Le Passant*, elle est Zanetto, l'incarnation de l'amour innocent. Le 15 mars 1900, à 56 ans, elle a mué son corps en celui du fils de l'Empereur mort à 21 ans. Paul Poiret a dessiné le costume de l'Aiglon de Rostand, veste blanche qui serre une taille alourdie par les ans. Sarah, pour se familiariser avec le personnage a reçu ses visiteurs épée à la main plusieurs semaines durant. Et puis il y a le frêle Lorenzo de Médicis. Depuis sa parution en 1834, la pièce de Musset est réputée injouable. Rien ne peut l'attirer plus qu'un défi pareil. Elle va même plus loin et instaure une tradition qui veut que seule une femme puisse être Lorenzaccio. Il faudra attendre Jean Vilar et la grâce de Gérard Philipe pour renverser cette tendance.

Extravagances

Sarah Bernhardt fascine et énerve ses contemporains par ses extravagances et ses excentricités. L'administrateur de la Comédie-Française ose-t-il lui faire remarquer qu'elle aurait dû lui demander son autorisation avant

Sarah Bernhardtphotographiée en 1864 par Nadar.

d'effectuer une expédition en ballon, c'est elle qui se fâche ! Lors d'une tournée à Londres, on compte un chien-loup, un guépard et six caméléons dans ses appartements. Elle affiche, sans se réclamer d'aucun maître, des talents de peintre et de sculpteur. Rodin n'apprécie pas son art[1] (« saloperie que cette sculpture »). Côté cœur, ses relations sentimentales fort nombreuses (on lui prête beaucoup de liaisons) alimentent les feuilletons. Sarah n'aura qu'un fils, Maurice qu'elle protègera toute sa vie. Ils n'auront qu'un seul différent : au moment de l'affaire Dreyfus, elle s'engage auprès de Zola. Car c'est aussi cela que cette femme : infirmière au moment de la guerre de 1870, elle soigne les blessés dans le Théâtre de l'Odéon. Pendant la première guerre mondiale, amputée d'une jambe, elle entreprend une tournée patriotique en Amérique.

Monstre sans doute, mais mythe plus encore.

Emmanuelle POLLE

---

1. Nous pûmes admirer ses sculptures lors de l'exposition qui fut consacrée à Sarah Bernhardt, à la Bibliothèque Nationale, et il nous semble bien que Rodin n'admettait guère la concurrence, surtout féminine… (N. D. L. R.)

Bibliographie :

Sarah Bernhardt par Claudette Joannis (Payot, 2000)
Comédienne par Anne Martin-Fugier (Seuil, 2001)

Ci-contre :
Isabelle Rattier dans
Senso au Petit Palais
des Glaces à Paris.
Photo © Jean Chenel

Senso d'après Camille Boïto

Terribles confidences

AU COMMENCEMENT il y a une nouvelle de Camille Boïto (1836-1914), architecte, historien d'art, esthète vénitien qui fut directeur de l'Académie des Beaux-Arts de la Cité des Doges et qui écrivait des nouvelles pour se délasser. C'est ce texte qui a servi de base au scénario du somptueux film de Luchino Visconti *Senso*.

Isabelle Rattier qui passa par l'école du TNS (Théâtre national de Strasbourg) avant de travailler avec des metteurs en scène très différents (de Vincent à Carlo Boso en passant par Yersin ou Bourdet) en donne aujourd'hui une version personnelle. Elle avait abordé ce texte vénéneux dès 1994, le reprenant en 1997.

Elle aime les pleins et les déliés du récit de la Comtesse Livia, elle adhère à un personnage qui n'est pourtant pas tout de noblesse et se vengera de la plus terrible façon d'un amant trop volage qui la spolie et la trompe. Belle histoire, écriture élégante dans cette Italie qui se défait dans les affres du joug austro-hongrois.

Isabelle Rattier, qui signe la mise en scène – elle dirige souvent ses camarades – aurait sans doute dû demander qu'un regard autre que le sien se penche sur ces confidences terribles. Elle se perd dans des effets qui sont inutiles (les changements de costumes, les déplacements parfois un peu trop nerveux, une fébrilité qui est stérile). C'est dommage car c'est une belle actrice. La voix est superbe. La compassion pour le personnage émouvant. Mais on a le paradoxal sentiment que ce qui manque ici est justement la sensualité. Il y a quelque chose d'un peu trop sévère dans la manière d'être d'Isabelle Rattier. Elle voit trop la Comtesse comme un caractère qui veut la liberté dans un monde qui refuse toute indépendance aux femmes. Or Livia est plus dans l'instinct, l'intuition, les sens. Elle n'est pas une intellectuelle qui réfléchit. Et elle se venge comme une sauvage... Mais l'on passe un beau moment pourtant car Isabelle Rattier est sensible et texte et histoire sont admirables.

A. H.

>> **Petit Palais des Glaces** jusqu'au 28 septembre (tél. : 01 48 03 11 36).

Les Rustres, de Carlo Goldoni

Que la fête commence !

Il EST BIEN CONNU que la musique adoucit un cœur, aussi dur soit-il ! C'est en tout cas ce que nous rappellent avec ironie Bernard Rozet et Laurent Pillot dans leur mise en scène à la fois théâtrale et musicale des *Rustres* de Carlo Goldoni, donnée cet été au château de Grignan. « La musique rend le texte encore plus drôle et plus ludique. Elle donne du jeu en plus », se plaisent-ils à dire. Instrumentistes, chanteurs et comédiens réunissent leur art pour servir à merveille cette satire des rapports entre les femmes et les Rustres (personnages mâles, quadra ou quinquagénaires – pères de famille de la catégorie des barbons – qui oppriment l'élément féminin de leur famille – femmes et filles). Rarement le texte dudit « Molière italien du XVIIIe » a atteint, et grâce à la musique, un pareil humour.

Le temps du Carnaval

« Nous sommes à Venise. C'est le Carnaval et tout le monde s'amuse. Tout est permis ! », annoncent trois saltimbanques au

© Éric Maulavé

Mise en scène des *Rustres* par Bernard Rozet et Laurent Pillot au château de Grignan.

© Éric Maulavé

Les chanteurs et comédiens Anne-Lise Faucon, Gilles Fisseau et Hélène Pierre.

rythme de leurs tambours, accueillant les spectateurs en leur distribuant l'habit de carnaval, la cape (la façade du château a servi de décor à la reconstitution d'un palais vénitien le long du Grand Canal). Que la fête commence ! Nous sommes donc invités, avant la représentation, à déambuler dans ce qui fut la demeure de la fille de la Marquise de Sévigné. Et bien évidemment, en ces jours de Carnaval, la musique ne saurait être absente. « C'est dans un contexte totalement festif et qui colle à la comédie – tout en l'exagérant – que nous avons voulu marier la musique au texte. Et ce, dès les déambulations ponctuées d'interludes musicaux où le spectateur est aussi acteur de la pièce » s'exclame Bernard Rozet, directeur de la troupe Rozet & Cie qu'il fonde en 1999 avec son ami pianiste et chef d'orchestre Laurent Pillot, et la chanteuse lyrique et comédienne Jeanne-Marie Lévy – Felice dans la pièce. La visite du Salon du Roi est l'occasion d'un cours de chant où le public échauffe sa voix sur quelques vocalises, attentif aux moindres remarques de la pianiste ! Un moment tout aussi facétieux qu'à la Galerie des Glaces où la délicieuse soprano Anne-Lise Faucon – Lucietta dans la pièce –, interprète « une débutante sur scène » en compagnie de trois marquis musiciens. De quoi se tordre de rire ! Mais rien d'étonnant quand on demande au metteur en scène quelle est sa définition du théâtre et qu'il répond : « Ludique, débridé, fantasque, et exigeant car la comédie c'est aussi de l'exigence ».

SPECTACLES

Chanteurs avant d'être comédiens

Ici, la musique prolonge l'action et les musiciens ont tous un rôle d'acteur. Quatre personnages sont joués par des chanteurs (basse, baryton, soprano) qui sont « chanteurs avant d'être comédiens et avec lesquels on fait le travail de comédien. Mais on ne peut pas faire l'inverse. On ne peut pas demander à des comédiens de chanter *Carmen* ! C'est impensable », explique B. Rozet. Il précise : « J'ai attribué les rôles chantés à des personnages qui ne sont pas ancrés dans un couple car ils sont plus libres. Lucietta et le jeune premier s'évadent par le chant. Felice et son amant le comte Riccardo sont des personnages extravagants. Mais les Rustres ne peuvent pas chanter, Marina et Margarita non plus. Je n'aurais pas trouvé ça juste ». Les huit instrumentistes sont des gondoliers déguisés en matelots ! Ainsi, à la manière d'un film hindi où l'action est entrecoupée de chansons dansées, la comédie de Goldoni est relevée de passages musicaux allant d'un adagio d'Albinoni ou de Vivaldi aux fameux airs de *Carmen* ou de la Barcarolle des *Contes d'Hoffmann*, en passant par ce qui fut un « tube kitsch » par excellence, *J'ai encore rêvé d'elle* – « un fantasme drôle » selon le metteur en scène – lorsque les deux fiancés se retrouvent un soir sur le Canal. « On ne s'interdit rien. On s'est bien sûr penché sur le répertoire du XVIIIe siècle tout en se laissant guider par la lecture.

Nous avons fait beaucoup d'essais. Certains n'ont pas fonctionné et d'autres oui. Le personnage de Felice a par exemple été transformé en chanteuse lyrique alors qu'elle ne l'est pas du tout dans la pièce. Et à ce moment, elle peut porter avec elle *Carmen* ou la Barcarolle des *Contes d'Hoffmann* » La musique est minutieusement réglée, donnant son propre rythme à la pièce, permettant d'en varier le climat. Après chaque scène où les Rustres admonestent leurs femmes, la musique agit tel un charme, calmant les esprits. Elle relance le texte, exagère l'absurdité du comportement des Rustres, et met en exergue les moindres détails ironiques, et parfois cyniques de la comédie de Goldoni. Mais le tout avec une grande subtilité car même si la farce peut frôler l'outrance, jamais le metteur en scène ne tombe dans la vulgarité. « Le propre de la comédie est justement d'être sur cette corde raide », dit-il.

Une approche de la comédie guidée par l'humour et l'exigence, un mariage insolite et décalé de la musique et du texte : tel est le secret du succès incontestable des *Rustres* et de la Compagnie.

Pauline GARAUDE

>> **Festival les Fêtes Nocturnes du château de Grignan**, du 10 juillet au 28 août 2002.

La rentrée
des théâtres privés

L'AFFICHE aurait de quoi faire rêver : Fanny Ardant dans le costume de Sarah Bernhardt, Arthur Miller dans son propre rôle d'auteur, John Malkovich en metteur en scène[1] et Michel Sardou en acteur débutant. Distribution idéale ? La question ne se pose même pas puisque ce prestigieux quarté ne partage pas la même affiche. Quoi qu'il en soit, pour cette rentrée 2002, les théâtres privés ont su s'entourer de solides parrains, artistes confirmés et stars avérées dont nul ne niera l'incroyable effet d'appât chez le spectateur.

Le temps des dialogues

Si la saison passée avait vu fleurir les spectacles solos (Jacques Weber, Fabrice Luchini, Philippe Avron...), voici venu le temps des duos, ping-pong dialogués où l'acteur est roi.

En 1947, Simone de Beauvoir rencontre l'écrivain américain Nelson Algren. Beauvoir transcende sa passion dans un très beau roman, *Les Mandarins* et dans ses lettres à Algren. Marie-France Pisier et Peter Bonke seront ce couple sur la scène de Marigny. Danièle Lebrun et Francine Bergé s'attacheront aux relations comédienne-metteur en scène dans *Jeux de scène*[2] de Victor Haïm (Théâtre de l'Œuvre), quand Fanny Ardant campera

une *Sarah* vieillissante, tout en confidences envers son fidèle secrétaire joué par Robert Hirsch (Théâtre Édouard VII). Plus surprenant est le tandem Francis Huster-Michèle Bernier pour *Nuit d'ivresse*, une pièce écrite et mise en scène par Josiane Balasko (Théâtre de la Renaissance). Francis Huster va peut-être se découvrir des talents de  comique en endossant le costume de Jacques Belin, animateur de télévision faisant la connaissance de Frede, tout juste sortie de prison.

Vedette américaine

Mais la vedette incontestée de cette rentrée 2002, c'est le théâtre anglo-saxon.

 Jorge Lavelli met en scène l'avant-dernière pièce d'Arthur Miller, *Le Désarroi de Monsieur Peters*. Miller, dramaturge de la société américaine et du tragique des individus dresse le portrait d'un homme

(Michel Aumont) parvenu au terme de sa vie (Théâtre de l'Atelier). Dans *Le Limier*[3]

d'Anthony Shaffer (Théâtre de la Madeleine), l'histoire d'un jeu mortel entre un auteur de roman policier et un jeune coiffeur immigré, tout respire le meurtre à l'anglaise.

Jacques Weber et Patrick Bruel auront la lourde tâche de succéder au duo Laurence Olivier-Michael Caine, immortalisé par Mankiewicz au cinéma. Traduction de l'anglais vers le français toujours avec *Hysteria* de Terry Johnson, comédie sur la rencontre improbable de Dali et Freud. La pièce a triomphé il y a

quelques années à Londres, elle arrive aujourd'hui à Paris mise en scène par l'acteur et réalisateur John Malkovich (Théâtre Marigny). Si Laurent Terzieff s'attache cette rentrée à Murray Schisgal, auteur de *Love* ou de la comédie *Tootsie*, avec une création, *Le Regard*[4], Michel

Fagadau qui semble apprécier mettre en scène les histoires de couples, nous fait découvrir l'écriture enchevêtrée et habile d'Andrew Bovell. Quatre acteurs, Fanny

Cottençon, Marianne Basler, Didier Sandre et Jean-Pierre Malo se prêteront au jeu dangereux de la trahison (*Les Couleurs de la vie*[5], Comédie des Champs-Élysées).

Quelques reprises de l'année passée à signaler : *Impair et père*[6] avec Francis Giraud dans le rôle d'un père qui refuse d'assumer ses écarts de jeunesse (Théâtre de la Michodière),

Madame Sans-Gêne[7] de Victorien Sardou (Théâtre Antoine), *La Boutique au coin de la rue*, adaptée du film de Lubitsch (Théâtre Montparnasse), Michel Leeb en ménagère dans *Madame Doubtfire*[8] (Théâtre de Paris), ou dans un tout autre registre, *Ici ou ailleurs*[9] de Robert Pinget où Clope, personnage sans attache, erre seul dans une gare, à l'abri d'un toit de carton (Artistic Athévains).

L'esprit français

Et les auteurs contemporains ? Jean-Marie Besset [10] s'amuse d'une possible relation

sentimentale entre Molière et l'acteur Baron. Trois siècles plus tard il transpose dans le monde du théâtre d'aujourd'hui le trio femme, mari et amant. (Théâtre Tristan-Bernard). Bruno Abraham-Kremer met en scène et interprète un monologue d'Éric-Emmanuel Schmitt, *Monsieur Ibrahim et les fleurs du Coran*, l'histoire tendre dans le Paris des années 60 d'un épicier arabe pas arabe du tout (Studio des Champs-Élysées). Jean-Claude

Grumberg signe avec *L'Enfant Do* un nouvel épisode d'une chronique familiale et s'interroge sur l'avenir des enfants dans le monde de demain (Théâtre Hébertot), quand Jean Piat, reconverti en professeur de français fait défiler en un long monologue toutes les interrogations et les malaises de sa profession. *Prof!* (Gaîté-Montparnasse) relate une affaire sanglante : un prof tout ce qu'il y a de plus normal, le prof sympa, braque un jour un pistolet sur ses élèves et tue la moitié de sa classe. En Belgique, lors d'une création précédente, la pièce portait le titre de *L'Enseigneur*, jeu de mot cruel sur les sons. Enseigner. Ensaigner.

Et enfin, le retour de Michel Sardou comme acteur. Il avait promis à son père d'acheter un théâtre, il dirige aujourd'hui La Porte Saint-Martin. Avait-il promis également de monter sur les planches ? À 50 ans, le voici qui revient sur

scène dans *L'Homme en question* [11] de Félicien Marceau, personnage tiraillé par l'insomnie et travaillé par sa conscience.

« Entrer dans un décor immense, entendre les battements de son cœur, et là changer l'indifférence en rires et le silence en pleurs », chantait Sardou dans les années 80...

En 2002, il concrétise ses désirs...

E. P.

1. *Hysteria*, à paraître dans l'Avant-Scène n°1122.
2. *Jeux de scène*, Collection des Quatre-Vents, édition L'Avant-Scène théâtre.
3. *Le Limier*, Avant-Scène n° 1124 à paraître en octobre.
4. *Le Regard*, Collection des Quatre-Vents, éd. L'Avant-Scène théâtre, à paraître.
5. *Les Couleurs de la vie*, Avant-Scène n° 1121.
6. *Impair et père*, Avant-Scène n° 1103.
7. *Madame Sans-Gêne*, Avant-Scène n° 1099.
8. *Madame Doubtfire*, Avant-Scène N°1100.
9. *Ici ou ailleurs*, Avant-Scène N°1107.
10. *Baron*, Avant-Scène N°1118.
11. *L'Homme en question*, Avant-Scène N°546.

ÉVÉNEMENTS

51ᵉ festival des jeux du théâtre de Sarlat

Truffé de surprises

« PARCE QUE C'ÉTAIT LUI, parce que c'était moi »… La réponse faite par Étienne de La Boétie à un curieux l'interrogeant sur les motifs de son amitié pour Montaigne peut s'appliquer à Jean-Paul Tribout à l'égard de son attachement au festival de Sarlat. Sarlat, pôle culturel du Périgord, qui dès l'époque médiévale exerça sur ses visiteurs l'attraction de son mystère, de sa beauté et de son art de vivre. Aujourd'hui étape touristique et gastronomique incontournable au pays des truffes, des grottes et des forêts sauvages, la ville arbore un blason de plus avec son festival renommé qui attire chaque été de la mi-juillet à la mi-août de nombreux spectateurs, passionnés de théâtre. Petit frère du Festival d'Avignon, le festival de Sarlat (de cinq ans son cadet) vit le jour en 1952 à l'occasion de stages d'art dramatique dispensés par les pères de la décentralisation. Gabriel Monnet et Maurice Sarrazin cultivèrent cette terre propice, entraînant dans leur sillon des artistes actifs et enthousiastes, créateurs au long cours, metteurs en scène,

Gradins et scène sont installés dans le jardin de l'abbaye Sainte-Claire.

ÉVÉNEMENTS

Les Tréteaux de France jouent *Ruy Blas* dans une mise en scène de Marcel Maréchal.

comédiens, qui se succédèrent pendant quarante ans à la direction du festival, enrichissant chaque édition de nouvelles initiatives. Jacques Mauclair, Maurice Jacquemont, Jean Le Poulain, Arlette Thomas… autant de noms gravés dans la mémoire des Sarladais – d'origine ou d'adoption – le temps d'un festival. Pour perpétuer la tradition (un moment interrompue) d'une programmation confiée à un membre de la corporation du théâtre, l'association aujourd'hui présidée par Jacques Leclaire, a nommé Jean-Paul Tribout, lui « donnant carte blanche ». Cette année était la septième de son mandat unanimement plébiscité par les festivaliers, dont le nombre a augmenté de 25 % depuis que le comédien-metteur en scène est entré en fonction. Sa recette : « une volonté d'union

entre patrimoine et modernité, entre contemporains d'hier et classiques de demain ». Ambitieuse formule que ses choix illustrent parfaitement. La moitié des spectacles programmés appartient au théâtre contemporain. Peu viennent du privé ou du subventionné. La plupart sont issus du travail de compagnies recrutées dans toute la France.

Entre patrimoine et modernité

Une vingtaine de productions cet été, mêlant *commedia dell'arte* (troupe de Carlo Boso), création poétique et musicale d'une œuvre de Neruda (troupe du Phénix), classiques avec un *Ruy Blas* monté par Marcel Maréchal, un *Amphitryon* par Francis Perrin, un *Menteur* par Nicolas Briançon, modernes avec *l'Œuf* de Félicien Marceau présenté par Christophe Lidon, *Le Grand Cahier* d'Agota Kristof, mis en scène par Laurent Hatat, spectacle jeune public, lectures, monologues poétiques, philosophiques, biographiques… Victor Haïm, Michel de Maulne, Vincent Roca pour ne citer qu'eux, étaient au rendez-vous. Piaf, Ovide, Voltaire… se sont partagé les planches. Trois lieux très différents accueillent ces événements, trois décors naturels. La grande place de la Liberté, espace originel du festival où les spectateurs emplissent les gradins installés devant des tréteaux dressés pour l'occasion et bordés par les façades moyenâgeuses des devantures. Le Jardin des Enfeus, qui ouvre son vaste espace ceint de murs majestueux, à quelques pas de la maison où séjourna La Boétie. Le jardin de l'abbaye Sainte-Claire, adapté aux plus petites formes et habité par des Sarladais prêtant pour quelques soirs le mur de leur villégiature à ces interventions insolites.

Ils sont nombreux d'ailleurs ceux qui participent à la bonne marche du festival. Enfants du pays, bénévoles, à qui l'on doit une organisation et une gestion impeccables… Même la pluie ne résiste pas longtemps aux éponges et à la bonne humeur des responsables. Car à Sarlat le jeu est roi : pas question d'annuler une représentation ! Au milieu des touristes indifférents ou intrigués avant d'être gagnés à leur tour par la fièvre du théâtre, le festival vit à son rythme. Le matin à l'Hôtel Plamon, artistes et spectateurs se rassemblent pour présenter le spectacle du soir et échanger leurs impressions sur celui de la veille. À la nuit tombante, vers 21 heures, les mêmes se retrouvent pour savourer sous le ciel périgourdin, l'un des morceaux choisis avec finesse et goût par Tribout parmi les nombreuses pièces du grand puzzle théâtral de l'année.

Stéphanie TESSON

>> **Festival des Jeux du théâtre**
BP 53, 24202 Sarlat, cedex (tél. : 05 53 31 10 83)
site : www.festival-theatre-sarlat.com

Pascale de Boysson, âme lumineuse

ELLE AVAIT ÉTÉ FORMÉE par Charles Dullin et Tania Balachova et beaucoup joué avant de rencontrer Laurent Terzieff. Mais à l'heure des saluts ultimes, Pascale de Boysson demeure indissociable de la vie et du chemin de celui dont elle partageait la quête spirituelle et artistique depuis plus de quarante ans. Vaincue par un cancer fulgurant,

© Agence Bernand

Laurent Terzieff et Pascale de Boysson dans *Les Dactylos* de Murray Schisgal, mise en scène de Laurent Terzieff au Théâtre de Lutèce en 1963.

elle s'est éteinte cet été auprès des siens, en l'Île-de-Ré. Dans la paix. Elle était âgée de 79 ans. Ses obsèques ont eu lieu dans l'intimité familiale, en Dordogne. Une messe, célébrée à Saint-Germain-des-Prés le 9 septembre, a réuni ses nombreux amis.

Sa grâce, sa pudeur, sa discrétion, la finesse de son esprit, tout en elle traduisait une humanité profonde, une générosité radieuse. C'était une femme à la beauté sereine, avec un visage doux de Madone, un regard tendre, aimant, une blondeur diaphane. Elle était lumineuse.

En 1961, Laurent Terzieff et Pascale de Boysson avaient fondé la compagnie Laurent Terzieff et, dans ce cadre, ils auront monté des dizaines de spectacles tous marqués au sceau de l'exigence, de la découverte d'auteurs, tous d'une haute qualité sensible. Ils travaillaient ensemble. Se partageant les tâches : Pascale de Boysson signait souvent les adaptations, Laurent Terzieff signait les mises en scène et ensemble, le plus souvent, ils jouaient. Une constellation s'était dessinée autour d'eux : Gisèle Touret, Claude Aufaure, Philippe Laudenbach, Francine Walter. Tant d'autres unis par une même recherche de qualité, de poésie.

Citer un titre plutôt qu'un autre dans le parcours si long et si riche de Pascale de Boysson n'aurait aucun sens. Pourtant, si l'on s'en tient à ces dernières années, belle palette de propositions diverses, on l'aura vue dans *Le Bonnet de fou* de Luigi Pirandello à l'Atelier en 1997, dans la pièce âpre, cruelle,

du Danois Peter Asmussen, *Brûlés par la glace* au Théâtre 14-Jean-Marie-Serreau en 2000, pièce dans laquelle elle incarnait une mère nouée sur sa douleur, on l'aura vue dans les *Poèmes* de Bertolt Brecht à la Maison de la Poésie-Théâtre Molière fin 2000 puis, l'année dernière en reprise à la Gaîté Montparnasse. Autant de facettes différentes pour celle qui avait adapté Arnold Wesker, Slawomir Mrozek, et qui avait composé la version française du *Regard* [1] de Murray Schisgal, un auteur que Terzieff et elle affectionnaient particulièrement (sept pièces créées en France). C'est *Le Regard* qu'ils auraient dû jouer ensemble à la rentrée avec Vincent de Bouard et Émilie Chevrillon. Une de leurs amies chères reprend son rôle, Francine Walter.

La vie, le spectacle continuent. C'est la belle loi des artistes. Et c'est sous son regard que se donnera cette pièce délicate qui parle peintre et modèle et Amérique des années 90, temps qui passe.

On n'oubliera jamais Pascale de Boysson, sa maturité moelleuse et sa jeunesse transparente, sa voix précise et tendre et son rire frais, son cœur, son courage, sa noblesse.

A. H.

1. *Le Regard* de Murray Schisgal est publié en septembre 2002 dans la collection des Quatre-Vents aux éditions de l'Avant-Scène théâtre.
D'autres pièces de Schisgal sont également à paraître aux Quatre-Vents.

LIVRES

Les Mémoires de Sophie par Sophie Desmarets

Le talent du bonheur

SOPHIE DESMARETS ayant depuis long-temps quitté la scène, il n'est peut-être pas inutile de rappeler qu'elle fut, avec Jacqueline Maillan et Maria Pacôme, l'une des plus grandes vedettes du théâtre de bou-levard pendant les Trente Glorieuses. Son nom reste en particulier attaché à deux comé-dies de Barillet et Grédy : *Fleur de Cactus* (1964) et *Peau de vache* (1975).

On la voyait souvent à la télévision. Dans des dramatiques comme *Madame Sans-Gêne* (1963), mais aussi dans *Les Grands Enfants*, émission qui a rassemblé des années la fine équipe composée par Francis Blanche, Jean Yanne, Maurice Biraud, Jean Poiret, Roger Pierre, Jean-Marc Thibault et Jacqueline Maillan.

Au cinéma, bien qu'elle ait été l'épouse du critique de Jean de Baroncelli, son tableau d'honneur n'est pas brillant : « Pas un seul grand film… » Malchance ? Non, je-m'en-foutisme absolu.

Quoi qu'elle se soit montrée plus exigeante dans le choix de ses pièces, la vérité, c'est qu'elle ne se sentait pas faite pour le métier d'actrice. « Quand je m'en suis rendu compte, il était trop tard. J'étais déjà prisonnière de mon succès. »

À l'origine de cette erreur d'aiguillage, Louis Jouvet. Visitant la villa de ses parents en 1938, il lui dit qu'elle a un physique de théâtre : « Je ne savais rien faire. Alors actrice,

pourquoi pas ? C'était sûrement ce qu'il y avait de plus facile ! Je le pense toujours d'ailleurs. » Aussi bien, lorsque, un an après, sa mère lui interdit de jouer *Ondine*, parce qu'il lui aurait fallu, le soir, rentrer de l'Athénée en taxi, elle ne bronche pas : « C'était bien la preuve que le théâtre, pour moi, ne répon-dait pas à un irrésistible appel. »

Malheureusement pour elle, elle semblait condamnée au succès. La plupart de ses pièces restaient des années à l'affiche. *Fleur de cactus* : huit cents représentations – sans compter la tournée. *Peau de vache* : six cent soixante et une. « Est-ce qu'on a jamais demandé à une dactylo de taper six cent soixante et une fois la même lettre ? »

Bien sûr, son humour et son franc-parler ne lui ont pas valu que des amis. Surtout dans le milieu du spectacle, où toute vérité n'est pas bonne à dire. Mais ils apportent infiniment de sel aux *Mémoires* de cette octogénaire, aujour-d'hui coupée du monde par la surdité. Sophie Desmarets ne prétend pas avoir été une actrice, une amie, une épouse, une mère ou une grand-mère exemplaires. Le seul talent qu'elle reven-dique, c'est celui du bonheur. Elle en a eu autant qu'elle en a procuré. Avec ce livre, elle continue.

Jacques NERSON

>> **Éditions de Fallois**, 283 p., 19 euros.

Les dernières parutions de L'avant-scène théâtre

1058 - 15 novembre 1999-10,06 €
Mariages et conséquences (Alan
Ayckbourn, adap. C. Nadeau)

1059 - 1er décembre 1999-10,06 €
*Outrage aux Mœurs – Les 3 procès
d'Oscar Wilde* (Moisès Kaufman,
adap. J.-M. Besset)

1060 - 15 décembre 1999-10,06 €
La Surprise (Pierre Sauvil)

1061 - 1er janvier 2000-10,06 €
La Main passe (Georges Feydeau,
adap. G. Bourdet)

1062 - 15 janvier 2000-10,06 €
Tête de pluie (Louis Arti)

1063 - 1er février 2000-10,06 €
Moi, mais en mieux
(Jean-Noël Fenwick)

1064 - 15 février 2000-10,06 €
Le Maître et Marguerite (Mikhaïl
Boulgakov, adap. J.-C. Carrière)

1065 - 1er mars 2000-10,06 €
Le Chant du crapaud
(Louis-Charles Sirjacq)

1066 - 15 mars 2000-10,06 €
Frank V (Friedrich Dürrenmatt,
adap. J.-P. Porret)

1067 - 1er avril 2000-10,06 €
Mahler suivi de *Putzi*
(Francis Huster)

1068 - 15 avril 2000-10,06 €
L'Autre William (Jaime Salom,
adap. A. Camp)

1069 - 1er mai 2000-10,06 €
La Vénitienne (auteur
anonyme du XVIe siècle,
adap. R. de Ceccatty)

1070 - 15 mai 2000-10,06 €
*Dans le bar d'un hôtel
de Tokyo* (Tennessee Williams,
trad. D. De Boeck)

1071 - 1er juin 2000-10,06 €
Ferdinando (Annibale Rucello,
adap. H. Hatem)

1072 - 15 juin 2000-10,06 €
Faux-Fuyants (Steven Dietz,
adap. Burstin, Rochette, Rolland)

1073 - 1er juillet 2000-10,06 €
C'est pas la vie ? - titre provisoire
(Jean-Philippe Toussaint, Sophie
Chérer, Agathe Mélinand, Tilly,
François Margolin, Pascale Henry)

1074 - 15 juillet 2000-10,06 €
La Trilogie de la Villégiature
(Carlo Goldoni, adap. C. Lidon)

1075 - 1er octobre 2000-10,06 €
Commentaire d'amour
(Jean-Marie Besset)

1076 - 15 octobre 2000-10,06 €
Une chatte sur un toit brûlant
(Tennessee Williams,
adap. P. Laville)

1077 - 1er novembre 2000-10,06 €
Alarmes, etc. (Michel Frayn,
adap. A. Guedj et S. Meldegg)

1078 - 15 novembre 2000-10,06 €
Animaux suivis d'*Autres Animaux*
(Alain Enjary)

1079 - 1er décembre 2000-10,06 €
1 000 francs de récompense
(Victor Hugo)

1080 - 15 décembre 2000-10,06 €
Omnia vincit Amor suivi de
Chevals (Bernard Védrenne)

1081 - 1er janvier 2001-10,06 €
*La Tragédie d'Othello,
le Maure de Venise* (William
Shakespeare, trad. J.-M. Déprats)

1082 - 15 janvier 2001-10,06 €
Un homme à la mer (Ghigo De
Chiara, adap. R. Morselli
et N. Thévenin)

1083 - 1er février 2001-10,06 €
Jenifer suivi de *Petit Coq et le
maïs bleu* (Jean-Louis Bauer)

1084 - 15 février 2001-10,06 €
Marie Hasparren
(Jean-Marie Besset)

1085 - 1er mars 2001-10,06 €
C'est Jean Moulin qui a gagné !
suivi de *Contact-Extrême*
(Jean-Paul Alègre)

1086 - 15 mars 2001-10,06 €
Puck en Roumanie (Anca Visdei)

1087 - 1er avril 2001-10,06 €
La Théorie du Moineau
(Frédéric Sabrou)

1088 - 15 avril 2001-10,06 €
Ladies Nights (Anthony McCarten,
Stephen Sinclair, Jacques Collard,
adap. A. Helle)

1089 - 1er mai 2001-10,06 €
Les Directeurs (Daniel Besse)

1090 - 15 mai 2001-10,06 €
La Valse à 3 temps suivie de
Chambre au Nord (Marc Frémond)

1091 - 1er juin 2001-10,06 €
Cravate Club
(Fabrice Roger-Lacan)

1092 - 15 juin 2001-10,06 €
Volpone ou le Renard
(Ben Jonson, adap. J. Collette
et T. Cecchinato)

1093 - 1er juillet 2001-10,06 €
Asservies (Sue Glover,
trad. G. P. Couleau)

1094 - 15 juillet 2001-10,06 €
La Polonaise d'Oginski
(Nicolaï Koliada)

Hors série - 10 €
Le Squat (Jean-Marie Chevret)

1095 - 15 septembre 2001- 10 €
*Les Plaisirs scélérats de la
vieillesse* (Michel Philip)

1096 - 1er octobre 2001-10 €
Itinéraire bis (Xavier Daugreilh)

1097 - 1er octobre 2001-10 €
Une femme parfaite
(Roger Hanin)

1098 - 15 octobre 2001-10 €
Crime et châtiment (d'après
Dostoïevski, adap. G. Baty)

1099 - 1er novembre 2001-10 €
Madame Sans-Gêne
(de Victorien Sardou,
version nouvelle P. Laville)

1100 - 15 novembre 2001-10 €
Madame Doubtfire
(adap. française d'Albert Algoud)

1101 - 1er décembre 2001-10 €
Jalousie en trois fax (Esther Vilar)

1102 - 15 décembre 2001-10 €
Visites à Mister Green
(Jeff Baron, adapt. S. Galland
et T. Joussier)

1103 - 1er janvier 2002-10 €
Impair et père (Ray Cooney,
adapt. S. Vaughan et C. Barc)

1104 - 15 janvier 2002-10 €
La Griffe
(Claude d'Anna et Laure Bonin)

1105 - 1erfévrier 2002-10 €
Léo (Patrick Lunant)

1106 - 15 février 2002-10 €
Amphitryon (Molière)

1107 - 1er mars 2002-10 €
Ici ou ailleurs (Robert Pinget)

1108 - 15 mars 2002-10 €
Reste avec moi ce soir (Flavio
de Souza, adapt. L.-C. Sirjacq)

1109 - 1er avril 2002-10 €
Jeux de planches
(Jean-Paul Alègre)

1110 - 15 avril 2002-10 €
La Paix ! (d'après Aristophane,
adapt. S. Tesson)

1111 - 1er mai 2002-10 €
Le Menteur (Pierre Corneille)

1112 - 15 mai 2002-10 €
Elvire (Henry Bernstein)

1113 - 1er juin 2002-10 €
*Cinquante-cinq dialogues au
carré* (Jean-Paul Farré)

1114 - 15 juin 2002-10 €
La Comédie des travers
(Frédéric Sabrou)

1115 - 1er juillet 2002-10 €
Platonov (Anton Tchekhov ;
ad. : Éric Lacascade)

1116 - 15 juillet 2002-10 €
Le Testament comique
(Guy Vassal, d'après
Jean-François Regnard)

1117 - 1er août 2002-10 €
Une journée d'enfer
(J.-L. Bauer et F. Michelet)

1118 - 15 août 2002-10 €
Baron (Jean-Marie Besset)

1119 - 1er septembre 2002-10 €
Un petit jeu sans conséquence
(Jean Dell et Gérald Sibleyras)

Vente au numéro

THÉÂTRE	Simple	Double
Jusqu'au n° 834	5,34 €	7,47 €
Du n° 835 au n° 900	8,38 €	10,52 €
Du n° 901 au n° 1000	9,45 €	13,26 €
À partir du n° 1001	10,06 €	14,18 €

Attention : tous ces prix sont à majorer de 0,61 € lorsqu'ils concernent la vente à l'étranger.
Les numéros doubles rassemblent deux numéros de la revue.

MUSIQUE	8,84 €
BALLET/DANSE	
Du n° 1 au n° 8 (n° 9 et n° 10 épuisés)	12,20 €
Du n° 12 au n° 15 (n° 11, n° 14 et n° 16 épuisés)	15,24 €

Frais de port par numéro

À la suite de réclamations de nos clients, les expéditions pour certains pays étrangers se font en recommandé,
ajouter 3,66 € supplémentaires aux frais de port. Pour plus de 20 numéros, nous consulter.
Théâtre : France et CEE : + 1,83 € pour un numéro (+ 0,91 € par numéro supplémentaire).
Étranger : + 2,59 € pour un numéro (+ 1,52 € par numéro supplémentaire).
Musique, Ballet/Danse : France et CEE : + 2,13 € pour un numéro (+ 1,22 € par numéro supplémentaire).
Étranger : + 2,59 € pour un numéro (+ 1,52 € par numéro supplémentaire).

Toute commande ne sera servie qu'après réception du règlement correspondant.
Note aux libraires : toute commande de moins de 30,49 € doit être réglée d'avance.

Bon de commande
à retourner accompagné de votre règlement à :

L'avant-scène théâtre – 6, rue Gît-le-Cœur, 75006 Paris – CCP 735300 V Paris

Nom :   Prénom :
Adresse : ....
.... Code postal : ....
Ville : .... Pays : ....

❒ Je commande les ouvrages suivants au prix du catalogue (choisir 3 numéros « bis » au cas où certains de
ces titres seraient épuisés).
❒ Je souhaite bénéficier de l'offre spéciale « Nouveaux abonnés » : remise spéciale de 25 % (imputables à la
première commande) sur tous les titres du catalogue (choisir 3 numéros « bis » au cas où certains titres
seraient épuisés).

Numéros :   **Numéros « bis » :**

Je joins la somme de (tarifs ci-dessus) :
Numéros à prix fort : ....F
Numéros à -25 % : ....F
+ frais de port : ....F
TOTAL : ....F

Pour les étudiants (France uniquement), une remise de 20 % est accordée sur les tarifs indiqués ci-dessus sur présentation de leur
carte, et de 10 % sur la vente au numéro.

L'avant-scène théâtre

Abonnez-vous, réabonnez-vous !

Bulletin à retourner accompagné de votre règlement à:
L'avant-scène théâtre – 6, rue Gît-le-Cœur, 75006 Paris – CCP 735300 V Paris

Je désire m'abonner à la **nouvelle formule** de *L'avant-scène théâtre*:

	FRANCE (TTC)	ÉTRANGER/DOM-TOM (HT)
❏ **24 numéros** (soit 1 an)	150 € au lieu de 240 €*	❏ 179 €
❏ **12 numéros** (soit 6 mois)	90 € au lieu de 120 €*	

Ces prix s'entendent port inclus.

Pour les étudiants (France uniquement), une remise de 20 % est accordée sur les tarifs indiqués ci-dessus sur présentation de leur carte, et de 10 % sur la vente au numéro.

Nom: Prénom:

Adresse:...

.... Code postal:...........................

Ville:.. Pays:...........................

*prix de vente au numéro

L'avant-scène théâtre